毎週1話、

読めば心がシャキッとする

13歳からの生き方の教科書

藤尾秀昭 監

致知出版社

自分は自分の主人公
世界でただひとりの
自分を創っていく責任者

東井義雄

目次

第一章 志を持って生きる

第二章 命いっぱいに生きる

第三章 人生に誓うものを持つ

第四章 心を育む

※本書は月刊『致知』を再構成したもので、
本文中の内容および肩書等は原則として掲載当時のものです（掲載号は巻末に記載）。

第一章

志を持って生きる

第1話

大谷翔平と菊池雄星に教えた目標設定術

佐々木《ささき》 洋《ひろし》／花巻東高等学校硬式野球部監督

人生を変えた一冊の本

岩手の田舎《いなか》に育ちましたから、遊びも野球くらいしかなくて、周りに導かれるように自然に野球を始めました。甲子園に出場してプロか社会人で活躍したいと思っていましたが、結局選手として花を咲かせることはできなくて、大学の時に戦力外で二年生の時に寮《りょう》を出されました。初めての一人暮らしに最初は心を躍《おど》らせていたんですが、家具を揃《そろ》え、テレビのスイッチを入れた途端《とたん》、急に虚《むな》しくなったんです。

第1話　大谷翔平と菊池雄星に教えた目標設定術

悩んだ挙げ句に、それまで活字を見るのも嫌《いや》だったんですが、答えを求めて初めて本屋に行きましてね。そこで目に留まったのがナポレオン・ヒルの『思考は現実化する』という本でした。

そんなわけないだろうと思いながら手に取ったんですが、ページをめくるうちに、自分はそれまで大切なことを教わっていなかったことを痛感したんです。それまで「夢を持て」「目標を持て」と散々《さんざん》言われてきたんですが、ではどうやって夢や目標を立てたらよいのかということについては、何も教わっていなかったんです。

類書を片っ端《ぱし》から読んだら書かれていることは同じで、数値で具体的に表すこと、期限を決めること、ワクワクする内容であること、紙に書き出すことなどが大事だと分かってきました。

それで、野球選手としてはダメだったけれども指導者として成功したいと思って、「二十八歳で最年少監督として甲子園に出る」と書いたんです。そうしたらいろんな巡り合わせの中で花巻東《はなまきひがし》の監督に就任することができて、本当に二十八歳で甲子園に出場することができたんです。

夢と目標の設定法

ですから生徒にも、夢は目標にセットし、詳細に計画を立て、具体的に行動していけば、必ず夢に近づくんだと。

大谷翔平《しょうへい》が入部してきた時は、「先輩の雄星《ゆうせい》さんみたいになりたい」と言っていました。私は、夢というのは掲《かか》げたところより少し下で実現するような感覚があるので、「それでは雄星以下になってしまう。雄星を越えると言え」と指導しました。当時、雄星の投げる球は百五十五キロくらい出ていましたから、絶対に百六十キロ出せると暗示をかけましてね。

ただ、実際に目標を書く時に、百六十キロと書いたら百五十八キロになってしまうと心配していたのですが、大谷はもう目標の立て方を心得てくれていて、百六十三キロと書いてありました。

菊池も大谷も、入部してきた時から間違いなくプロに行ける選手でした。そんな逸材《いつざい》が名もない私の所へ来てくれたわけですから、私も生半可《なまはんか》な指導をするわけにはいきません。自分自身にプレッシャーをかけるために、ドラフト一位で送り出せなければ監督を辞めると宣言したんです。それを確実にするために、その上のメジャーへ送り出すという目標を掲《かか》げて二人と共有していました。

不思議なことに、その夢もどんどん近づいて、いまでは二人とも海を渡っています。彼らはたまたま海を渡ったのではなくて、高校の時に自ら思い描き、自らの脚《あし》で海を渡ったと思うんです。

第2話

S君の生き方から教わったこと

木下晴弘《きのしたはるひろ》／アビリティトレーニング社長

母親から聞かされた真実

生活態度を改めるよう注意を促《うなが》してほしいと訴えかける私に、母親は呟《つぶや》くように話を始めました。

「あの子は小学校の頃から、この塾に通ってK学院に進学するのがずっと夢だったんです。でも先生、大変申し訳ないのですが、うちにはお金がありません……」。

S君が早くに父親を亡くし、母親が女手《おんなで》一つで彼を育て上げてき

第2話　S君の生き方から教わったこと

たことを知ったのはこの時でした。塾に通いたいというS君をなだめ続け、生活を切り詰めながらなんとか中学三年の中途《ちゅうと》で入塾させることができたというのです。私はしばらく頭を上げることができませんでした。S君に申し訳なかったという悔恨《かいこん》の念がこみ上げてきました。そして超難関のK学院合格に向けて一緒に頑張ることを自分に誓ったのです。

K学院を目指して早くから通塾《つうじゅく》していた生徒たちの中でS君の成績はビリに近い状態でしたが、この塾で勉強するのが夢だったというだけあって勉強ぶりには目を見張るものがありました。一冊しかない参考書がボロボロになるまで勉強し、私もまた、他の生徒に気を遣《つか》いながら、こっそり彼を呼んで夜遅くまで個別指導にあたりました。すると約二か月で七百人中ベストテンに入るまでになったのです。まさに信じがたい伸びでした。

S君の秘めたる志

S君はそれからも猛勉強を続け、最高水準の問題をこなせるようになりました。K学院の入試も終わり、合格発表の日を迎えました。私は居ても立ってもいられず発表時刻より早くK学院に行き、合格者名が張り出されるのを待ちました。真っ先にS君の名前を見つけた時の喜び。それはとても言葉で言い尽くせるものではありません。

「S君に早く祝福の言葉を掛けてあげたい」。そう思った私は彼が来るのを待ちました。しかし一時間、二時間たち、夕方になっても姿を見せません。母親と一緒にやって来たのは夜七時を過ぎてからでした。母親の仕事が終わるのをずっと待っていたようでした。気がつくとS君と母親は掲示板の前で泣いていました。

「よかったな。これでおまえはK学院の生徒じゃないか」。我がことのように喜んで声を掛けた私に彼は明るく言いました。「先生。僕はK学院には行きません。公立のT高校で頑張ります」。

第2話　S君の生き方から教わったこと

私は一瞬「えっ」と思いました。T高校も高レベルとはいえ、K学院を辞退することなど過去にないことだったからです。

しかし、その疑問はすぐに氷解《ひょうかい》しました。S君は最初から経済的にK学院に行けないと分かっていました。それでも猛勉強をして、見事合格してみせたのです。なんという健気《けなげ》な志だろう。私はそれ以上何も言わず、S君の成長を祈っていくことにしました。

この日以来、S君と会うことはありませんでしたが、三年後、嬉《うれ》しい出来事がありました。東大・京大の合格者名が週刊誌に掲載され、その中にS君の名があったのです。「S君、やったなぁ」。私は思わず心の中で叫んでいました。

第3話

麦は踏まれて強くなる

小嶺忠敏《こみねただとし》／長崎県立国見高等学校サッカー部総監督

人生の支えとなった母の教え

私の場合は、母に育てられましたから、母の教えが人生の支えとなっています。

うちの地方では麦踏みというのがあるんですよ。麦は少し背丈《せたけ》が伸びたら踏み倒す。一週間くらいたって、また伸びてきたら、また踏み倒す。それを三回くらい繰り返すんですよ。小さい頃、私はそれが不思議でならなかった。

ある日、母に「どうして何度も麦を踏み倒すの」と聞いたら、

第3話　麦は踏まれて強くなる

「踏まれた麦は上を向いてスクスク育っていくが、踏まれていない麦は冬に霜や雨が降るとしおれてしまって、作物にならない」と。続けて「人間も同じだよ。小さい頃や若い頃に苦労して、踏まれて踏まれて大きくなった人間が将来大物になるんだぞ」と教えられました。

もう一つ心に残っている教えがあります。九州は昔から台風が多いのですが、台風が去った後、母が「あれを見てごらん」と指した方向に、大木《たいぼく》が何本も折れて倒れていたのです。一方で、大木の横にある竹やぶの竹は一本も折れていない。

母は「竹にはところどころに節《ふし》がある。だから強いんだ。人間も遊ぶ時は遊んでもいいが、きちっとけじめをつけて、締めるところは締めないといけない」と教えてくれました。「節ありて竹強し」なんですね。

これらの教えが辛《つら》い時、私の支えでした。

実際、長崎の島原《しまばら》にいながら県立高校で日本一を目指すことは、当時の常識で考えれば不可能に近いことで、高校の同級生たちからは「バカか、おまえは。こげんとこで日本一になれるものか。もしおまえが日本一になったら、俺らは島原中を逆立ちをして歩くたい」と言われましたよ。

普通のことをしていたら、普通のことしかできない

初優勝は十年目の昭和五十二年のインターハイです。

しかし、サッカーは他の競技と違って、冬に行われる全国高校サッカー選手権が一番大きな大会なのですが、これがなかなか勝てなかった。やっと優勝できたのが、二十年目の昭和六十二年です。その間、島原商業から国見高校への異動もありました。不思議なことに、一度優勝すると、次からドドドと六回優勝できたんです。

私はいつも言うんですが、普通のことを考え、普通のことをして

第3話　麦は踏まれて強くなる

いたら、普通のことしかできない。勉強も人が一時間するなら二時間やる。サッカーだって、よそが三時間練習するなら、うちは六時間やる。とにかく鍛えるということです。

第4話

ナポレオン・ヒルの成功哲学

黒岩《くろいわ》 功《いさお》／ル・クログループオーナーシェフ

『成功哲学』との出逢い

「これ難しい本だけど、おまえにやるわ」

そう言って、職場の先輩が餞《はなむけ》としてプレゼントしてくれたのが、ナポレオン・ヒルの『成功哲学』でした。

初めて読んだ時は「面白いな」といった程度で、特段感興《かんきょう》を催《もよお》すことはなかったのですが、私はその本を携《たずさ》えて、全国司厨士《しちゅうし》協会の調理師派遣メンバーとしてスイスに渡りました。

いざ現地へ行くと、不条理なことが次々に起こります。まず言葉が通じないため相手にされない、「イエローモンキー」と呼ばれ差

第4話 ナポレオン・ヒルの成功哲学

別される。何をすればよいのか分からず、孤独感ばかりが募っていく。早々に「日本に帰りたい」という気持ちが膨《ふく》らみ、私の心は折れる寸前でした。

そういう状況下で、『成功哲学』を何気なく手に取って開いた瞬間、今度は「面白い」という感覚ではなく、本から活字が飛び出てくるくらい、書かれている言葉が心の中に入ってきたのです。それからというもの、来る日も来る日も繰り返し読んで勉強し、人に伝えるアウトプットはできない代わりに、行動を通じてその教えをアウトプットしていきました。

まさに『成功哲学』の考え方が私の血肉となり、人格形成のコアになったわけです。

修行時代に支えとなった二つの言葉

一年間スイスでの就労を終え、本来であれば日本に帰らなければなりませんでしたが、「三ツ星レストランで絶対に働きたい」「このまま帰ったらもう二度と来れないかもしれない。このチャンスを逃してなるものか」と思い、無謀《むぼう》にも徒手空拳《としゅくうけん》でフランスに渡ることを決意しました。

そのフランスでの二年間の修業時代、とりわけ私を支えたナポレオン・ヒルの言葉は、「諦《あきら》める一歩先に必ず宝がある」と、もう一つは「信念の力」と題する詩です。


もしあなたが負けると考えるなら、あなたは負ける。

もしあなたがもうダメだと考えるなら、あなたはダメになる。

もしあなたが勝ちたいと思う心の片隅でムリだと考えるなら、あなたは絶対に勝てない。

もしあなたが失敗すると考えるなら、あなたは失敗する。

世の中を見てみろ、最後まで成功を願いつづけた人だけが成功してるではないか。

すべては「人の心」が決めるのだ。

もしあなたが勝てると考えるなら、あなたは勝つ。

「向上したい」「自信をもちたい」と、もしあなたがそう願うなら、

第4話 ナポレオン・ヒルの成功哲学

あなたはそのとおりの人になる。

さあ、再出発だ。

強い人が勝つとは限らない。すばしこい人が勝つとも限らない。

「私はできる」そう考えている人が結局は勝つのだ！

第5話

いま辞めないいんだったら生涯続けろ

桂《かつら》 歌丸《うたまる》／落語家

小学校四年生で将来の道を決める

私は昭和十一年生まれですが、小学校四年生の時に噺家《はなしか》になろうと決意しました。戦後の何もない時代で、笑いに飢えていたわけですよ。唯一あったのがラジオ、そこで週二回くらい寄席《よせ》の番組がありましてね。昭和の名人たちが聴衆《ちょうしゅう》をドッと笑わせている。それを聞いて、「ああ、これだな」「俺の進む道は噺家以外にない」と思いました。もう一途《いちず》でしたね。あとは何にも考えなかった。

私は三歳の時に父親を亡くし、母親とも離れて暮らしていたものですから、祖母に育てられたんですね。それで祖母に「小学校を卒

第5話　いま辞めないんだったら生涯続けろ

業したら噺家になりたい」と言ったら、「みっともないから中学だけは行ってくれ」と。それで嫌々学校に通っていましたが、宿題もやらずに落語に夢中になっていましてね。結局、卒業を待たず、中学三年の時に噺家になっちゃったんです。

古今亭今輔《ここんていいますけ》師匠のところに入門したのは、昭和二十六年の十一月でした。で、翌年の四月一日から正式に落語芸術協会の会員になり、前座となったわけです。

その頃は前座が舞台脇《わき》で時間を調整する役をしていましたので、この人に長くやってもらいたいなと思ったら、「師匠、すみません。時間がちょっと余ってますから」と言うんです。そうすると、長くやってくれますのでね。で、逆にこの人に長く喋《しゃべ》られると終わるのが遅くなるからという場合には、こっちで時間を詰めちゃう。

この先に光がある

それから、どうしても聞きたい噺ってあるじゃないですか。だけど、やってくれるかどうか分かりませんので、しょうがないから「あのー、お客様が師匠に○○をやってもらいたいと言っていますけども」と。すると、「そうかい」と言って、やってくれる。本当はお客様ではなくて、自分が聞きたいだけ。それでじーっと聞いていました。しかし、いまはそういうことをする前座さんっていないですね。とにかく決まったことをきちんとやっていくという人が多い。つまらないなと思いますけどね。

また、堪《こら》え性《しょう》もあまりないですね。だから、若い前座さんたちに最初に言うことは、「辞めるんだったらいま辞めろ。いま辞めないんだったら生涯続けろ」。それだけです。私なんかも随分苦しい思いをし、貧乏もしましたけれども、やっぱり辞めようと思ったことはなかったですね。いま苦しいけれども、この先に光があるとずっと思っていました。

ただね、若い方々の批判ばかりするつもりはなくて、若い方々の噺を聞いていますと、すごい勉強になりますね。「なるほど。こう

第5話　いま辞めないんだったら生涯続けろ

いうやり方もあったのか」とか、「私だったらこうやるな」とか。そういう気づきがあります。だから、私はトリで喋ることが多いですけど、できる限り最初から楽屋《がくや》にいて、みんなの噺を聞くようにしているんです。未熟な方は未熟な方で魅力がありますよ。

第6話

ヘレン・ケラーも尊敬した塙保己一の生き方

平《たいら》 光雄《みつお》／社会教育家

七歳で失明、十二歳で母と死別

塙保己一《はなわほきいち》という人は、ヘレン・ケラーの両親が「あなたが目標とすべき人物がいる。塙保己一という日本人で、目が見えなくても偉業を成し遂《と》げた人なんだよ」と彼女に伝えていたほどで、実際に彼女が人生の手本にしていた人物でもあるのです。

では、保己一とは一体どのような人物だったのでしょうか。彼は七歳にして失明し、十二歳で母親を失うと、十五歳にして江戸にある盲人《もうじん》一座に入りました。当時、目が見えない人たちは、盲人一座に入ることが一般的なコースで、そこで三味線《しゃみせん》や琴、按摩《あんま》、鍼《はり》を習い始めたのです。

ところが保己一は、いくら修業をしてもちっとも上達しません。不器用だったのでしょう。一時は絶望して命を絶とうと考えたこともあったそうです。

そんな姿を見かねた一座の師匠は、学問好きだった保己一に「三年間はお金を出してあげるから、学問をとことんやってみろ」と言うのです。ただし、学問の芽が出なければ実家に帰す、という条件つきでした。

落ちこぼれだった保己一が耳を頼りに猛勉強を始めたのがこの時で、後に「日本に古くから伝えられている貴重な書物を集めて、次世代に伝えていきたい」と志を立て、四十一年かけて編纂《へんさん》・刊行したのが、保己一畢生《ひっせい》の大事業となった『群書類従《ぐんしょるいじゅう》』でした。

大きな屈辱を糧にして

その労たるや古代から江戸時代初期までの約千年間に書かれた文献を一万七千二百四十四枚の版木にまとめあげるというものでした。

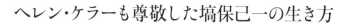

彼の伝記をとおして伝えたいことは人間の可能性の大きさです。小さい頃から目が見えず、落ちこぼれるようなことがあっても、努力をすれば自分の志を追究できる。そのことを彼の生き方が教えてくれているのです。

保己一にはこのような逸話《いつわ》も残されています。ある時、保己一が道を歩いていると、突然下駄の鼻緒《はなお》が切れてしまいました。ちょうど目の前には版木屋《はんぎ》があったので、鼻緒の代わりにする布切れを分けてほしいと店主にお願いすると、「何だ、目が見えないくせに！」と投げつけるようにして渡されたのです。

思わぬ屈辱を味わった保己一でしたが、彼はこの布切れをずっと持ち続けます。そして後に『群書類従』の編纂・刊行に際して、彼はわざわざその版木屋を選んで仕事を依頼しているのです。

店主にはこう告げました。

「実はあの時、あなたに大変な仕打ちを受けた。これがその時の布切れです。これは決して皮肉ではなく、むしろあなたに感謝しているんです。私はあの時、励ましをいただいたと思っています。ですからその悔しさを忘れることなく、人様から後ろ指を指されないような人間になろうと、強く決意したのです」と。

第7話

吉田松陰が獄中で行った教育

渡部昇一《わたなべしょういち》／上智大学名誉教授

牢番にしたお願い

安政《あんせい》元年三月二十八日、吉田松陰《しょういん》が牢番《ろうばん》に呼びかけた。その前夜、松陰は金子重輔《じゅうすけ》と共に伊豆下田《いずしもだ》に停泊していたアメリカの軍艦に乗り付け、海外密航《みっこう》を企《くわだ》てた。

しかし、よく知られるように失敗して、牢に入れられたのである。

「一つお願いがある。それは外でもないが、実は昨日、行李《こうり》が流されてしまった。それで手元に読み物がない。恐れ入るが、何かお手元の書物を貸してもらえないだろうか」。

牢番はびっくりした。

第7話 吉田松陰が獄中で行った教育

「あなた方は大それた密航を企《たくら》み、こうして捕まっているのだ。何も檻《おり》の中で勉強しなくてもいいではないか。どっちみち重いおしおきになるのだから」。

するとと松陰は、「ごもっともです。それは覚悟しているけれども、自分がおしおきになるまではまだ時間が多少あるであろう。それまではやはり一日の仕事をしなければならない。人間というものは、一日この世に生きておれば、一日の食物を食らい、一日の衣を着、一日の家に住む。それであるから、一日の学問、一日の事業を励んで、天地万物への御恩を報じなければならない。この儀《ぎ》が納得できたら、是非本を貸してもらいたい」。

この言葉に感心して、牢番は松陰に本を貸した。すると松陰は金子重輔と一緒にこれを読んでいたけれど、そのゆったりとした様子は、やがて処刑に赴《おもむ》くようには全然見えなかった。松陰は牢の中で重輔に向かってこういった。

「金子君、今日このときの読書こそ、本当の学問であるぞ」。

牢に入って刑に処せられる前になっても、松陰は自己修養、勉強を止めなかった。無駄といえば無駄なのだが、これは非常に重要なことだと思うのである。人間はどうせ死ぬものである。いくら成長しても、最後には死んでしまうことに変わりはない。この「どうせ死ぬのだ」というわかりきった結論を前にして、どう考えるのか。

松陰は、どうせ死ぬにしても最後の一瞬まで最善を尽くそうとした。それが立派な生き方として称《たた》えられているのである。

天地に恥じない生き方

この松陰のような考え方は西洋の偉人にも見られる。こういう話を読んだことがある。人間が死んだらどうなるか、あるいは、復活した場合にどういう形で復活するか。ある聖人がこの問いに対して、それは肉体的に最高に達したときの状態、精神的に最高に達した時の状態であるに違いないと答えている。なんら確証があるわけではないから、信じるより仕方のないことなのだが、私はそう信じるべきではないかと思うのである。

「どっちみち老人になればヨレヨレになるのだから、体なんか鍛え

第7話　吉田松陰が獄中で行った教育

てもしょうがない」。

「どうせ死ぬ前は呆《ぼ》けたりするのだから、勉強してもしょうがない」。

確かに究極においては「しょうがない」ことだろう。そう考えるのは間違ってはいない。しかし究極まで行くと、そもそも生きることに意味がなくなるのではないか。

そう考えると、意味がないから何もしないというほうがどこか間違っているわけで、むしろよく鍛え、よく精神を高めることに努め、死んだら死後の復活、あるいは霊界《れいかい》において、最高の形になるに違いないという信念を抱いて生きるほうが、より良い生き方ができるのではないかと思うのである。

吉田松陰が死んでからのことをどう考えていたかはわからない。だが、少なくとも生きている間は天地に恥じないように、何かに努めなければならないという心境だったのであろう。それは生きている間は、一日の食事を摂《と》って、一日の着物を着て、一日の住み家にいるわけだから、そのことに対して恩返しをしなければならないという考え方から出てきた心持ちであったようだ。

第8話

やらされている百発より、やる気の一発

中村《なかむら》 豪《たけし》／愛知工業大学名電高等学校・豊田大谷高等学校硬式野球部元監督

僕をプロ野球選手にしてください

愛知工業大学名電《めいでん》高校、豊田大谷《とよたおおたに》高校で野球部監督を務めた三十一年間、部員たちに口酸っぱく言ってきた言葉がある。

「やらされている百発より、やる気の一発――」

いくら指導者が熱を入れても、選手側が「やらされている」という意識でダラダラ練習をしていたのでは何の進歩もない。やる気の一発は、やらされてすることの百発にも勝る。そのことを誰に言われずとも実践し、自らの道を開拓していったのが高校時代のイチローだった。

第8話　やらされている百発より、やる気の一発

彼と初めて出会ったのは昭和六十三年、私が四十六歳の時である。「監督さん、すげーのがおるぞ」というOBからの紹介を受けた私の元へ、父親とやってきたその若者は、当時、百七十センチ、五十五キロというヒョロヒョロの体格をしていた。こんな体で練習についてこられるのかと感じたのが第一印象だった。

私の顔を真剣に見つめながら「目標は甲子園出場ではありません。僕をプロ野球選手にしてください」と言う彼に、こちらも「任せておけ」とはったりを噛ませた。七百人以上いる教え子のうち、十四人がプロ入りを果たしたが、自分からそう訴えてきたのは彼一人だけだった。

愛知には三強といわれる野球伝統校があるが、彼が選んだのは当時、新興チームだった我われ愛工大名電高である。

監督の私が型にはめない指導をすること。プロ入りした選手の数が全国随一だったこと。実家とグラウンドの距離が近かったこと。

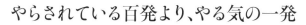

三年間寮生活をすることで、自立心を養い、縦社会の厳しさを学ぶこと。すべてあの父子の、熟考を重ねた末の選択であった気がする。

グラウンドに幽霊が出る？

鳴り物入りで入部したイチローは、新人離れしたミートの巧《うま》さ、スイングの鋭さを見せた。走らせても速く、投げては百三十キロ近い球を放る。一年生の秋にはレギュラーの座を獲得し、二年後にはどんな選手になるだろう、と期待を抱かせた。

一方、彼の父親は毎日午後三時半になると必ずグラウンドへ駆けつけ息子を見守った。打撃練習ではネット裏に、投球練習ではブルペンに陣取り、逐一《ちくいち》メモを取っている。まるで、監督の監督をされているようであまり気分のいいものではなかった。

非凡な野球センスを持っていたイチローだが、練習は皆と同じメニューをこなしていた。別段、他の選手に比べて熱心に打ち込んでいる様子もなく、これが天性のセンスというものか、と私は考えて

第8話　やらされている百発より、やる気の一発

いた。

そんなある日、グラウンドの片隅に幽霊が出るとの噂《うわさ》が流れた。深夜になり、私が恐る恐る足を運んでみると、暗がりの中で黙々と素振りに励むイチローの姿があった。結局、人にやらされてすることを好まず、自らが求めて行動する、という意識が抜群に強かったのだろう。

第9話

永い人生の中で、今は、今しかない

塙《はなわ》 昭彦《あきひこ》／セブン&アイ・フードシステムズ社長・前イトーヨーカ堂中国総代表

解散寸前のバレーボール部へ

昭和五十七年には労組のすべての役職を退任して、イトーヨーカ堂に復職しました。この時、私に与えられた仕事は首都東ゾーンマネジャーでした。それから一か月後、今度は「現職のまま、女子バレーボール部オーナー兼部長兼総監督を命ずる」という辞令を受けたんです。

バレーボール部が解散寸前の状態だとは知っていましたが、合宿所に足を運ぶと、驚きましたね。そこには選手とマネジャー合わせて三人しかいない。ここから再建をスタートして七年後にはバレー

第9話　永い人生の中で、今は、今しかない

ボール女子日本リーグで優勝し、全日本選手権を制するまでのチームに変わっていったんです。

ただ、私自身もバレーボールの経験がまったくないんですよ。辞令をもらって初めてルールブックを読んで「こういうものか」と思ったくらい。

バレーボールはど素人《しろうと》でしたが、将来有望な中学生、高校生に早くから目をつけてスカウトしたり、一流の指導者を招聘《しょうへい》してトレーニングに当たってもらったり、人材や技術の面でもいろいろなことをしながらチームを育てました。

総監督ですから、当然試合にも足を運びます。ルールは分からなくても、ピンチかチャンスかくらいは私にも分かる。負けが濃厚になった時には、タイムを取って選手を集めて、いま何をしたらよいかを話すんです。

私が彼女たちにかける言葉は二言だけでした。一つは「おまえたちしかいないんだ。ここで踏ん張ろう」と。六人で六人制バレーを

やっていましたから、実際に交代要員がいなかったんです。それと、もう一つは「いまが勝負どころだ。サーブボールはセッターに返す。それだけに集中しよう。それ以外は何も考えなくてよい」。そう言って落ち着かせ、気持ちを集中させました。

いまが勝負どころだ

その頃、一緒にバレーで汗を流した選手は、いまも社内にいます。彼女たちは「この時、もし選手が七人いたら負けていた。六人だけだったたから優勝できた」とよく言うのですが、私もまったくそのとおりだと思います。

なぜかと言ったら、東京オリンピックで鬼の大松《だいまつ》と言われた大松博文さん、私どものチームをつくった時の名誉監督で、初練習の日に亡くなったのですが、この方は東京五輪でも六人を全員固定したんですね。十二人の選手のうち七番目から十二番目まではまったく試合には出さなかった。私は直接、大松さんに聞いたことがあります。「もし誰かが怪我《けが》をしたらどうするのですか」。そうしたら「五

第9話　永い人生の中で、今は、今しかない

人でやる」と。私たちも、それと同じ発想なんです。

「おまえたちしかいない」「いまが勝負どころだ」。この言葉は仕事が窮地《きゅうち》に陥った時にも、よく口にしていました、もう一つ、バレーボールの練習のたびに体育館に掲げていた私の言葉があるんですね。「永い人生の中で、今は、今しかない。今を精一杯生きた者だけに、素晴らしい栄冠がある」。

いやいややるのも練習なら、一球にすべてをかけるのも練習です。いま目の前に飛んできた一生涯に一球限りのボールに全身全霊でぶつかっていく。一期一会《いちごいちえ》の精神で打ち込むのが非常に大事だという点では、ビジネスもバレーボールも同じだと思います。

第10話

独創力を発揮するための三条件
——糸川英夫の教え

的川泰宣《まとがわやすのり》／宇宙航空研究開発機構（ＪＡＸＡ）名誉教授・技術参与

独創力のある子に育てるには？

糸川英夫《いとかわひでお》先生はよく「独創力」の大切さについて話されていましたが、一般向けに行われた講演会でこんなことがありました。

先生は、幼い男の子を抱いて前の席で座っているお母さんに「その子を独創力のある子に育てたいと思いますか？」と聞かれました。「もちろん」と答えたお母さんに、「そのためにあなたはどう育てるつもりですか？」と聞くと、そのお母さんは「独創力を発揮するには自由でなければいけないから、この子がやりたいと思ったことは何でもやらせます」と答えました。

第10話　独創力を発揮するための三条件

先生は天井《てんじょう》を見てしばらく考えていましたが「あなたは数年すると、絶望するでしょうな」と言われたんです。「何でも好きにやって独創力がつくのならチンパンジーには皆、独創力がある」と。

先生が続けて言われるには「人間には意志というものがあって、自分はこれをやりたい、という思いにどこまでも固執《こしつ》しなければいけない」と。いったんやりたいと思ったことは、絶対にやり遂げるという気持ちがなければ、やっぱり何もできません。一度決心したことは、石にしがみついてでもやり遂げる強い意志が必要だ、と第一に言われました。

過去を徹底的に学習する

第二には、過去にどんな人がいて、何をやったかを徹底的に学習しないとダメだ、と。アインシュタインは、ニュートンのことを徹底的に学習して、ニュートンが考えることはすべて分かるという状態にまでなった。そうやって初めて、ニュートンの分からないことが分かるようになったんです。

だから過去の人がやったことを決して馬鹿にしてはいけない。これまで先人が残した考えの上に乗っかって、初めて新しいことが生まれる。だから、徹底的に勉強しなきゃいけないと言われました。

第三は、少し意外だったんですが、自分が何か独創力のある凄《すご》い仕事をしたと思っていても、世の中が認めなければそのまま埋もれてしまうことになる。世に認められるためには、他の人とのネットワークをしっかり築いてよい関係をつくっておくことが大事ですと。

先生はその後、「私は独創力と縁のないことを言ってるように聞こえるかもしれないけれど、世の中の独創力はそうやってできてるんですよ」と話された。先生はまさしくそれを貫かれたと思うんですね。同時代の人がやっていることを真似るようなことは決してしないけれども、過去のことは非常によく勉強されていますよ。

糸川先生は、誰も考えなかったことを考えるのが大好きなんですよね。でもその基盤には、自分が正当に継がなきゃいけないものを、

第10話　独創力を発揮するための三条件

物凄くしっかり勉強しているということがあるわけです。その上に立って、初めて独創力が生まれてくるんだなということは、先生を見ていてよく感じました。

第二章

命いっぱいに生きる

第11話

エブリ デイ マイ ラスト

福嶋正信《ふくしままさのぶ》／東京都立小山台高等学校野球部監督

辛すぎる別れ

忘れもしない、あの事故が起こったのは、私が野球班（部）監督として東京都立小山台《こやまだい》高校に赴任し、二年ほど経った二〇〇六年六月三日のことでした。

「福嶋先生、夏の大会も一か月に迫ったので新しいバットを買いに行きたいのですが、大輔《ひろすけ》も連れていっていいですか？」。

市川大輔は、当時二年生唯一のレギュラー。派手さはないけれど、何事にもコツコツと一所懸命に取り組む、誰からも信頼される選手でした。私は、「いいぞ、大輔も先輩といっしょに行ってこいよ」

第11話　エブリ デイ マイ ラスト

と、練習が終わった後に、子供たちを近くのスポーツ店に送り出したのです。しかし、それが大輔との今生の別れになるとは、夢にも思いませんでした。

皆で購入したバットを手に帰宅の途《と》に就いた大輔は、自宅マンションに設置されていたシンドラー社製のエレベーターに挟まれる事故に遭い、帰らぬ人となったのです。大輔は手にバットを握り締めたまま亡くなっていたといいます。

あの時、大輔を買いに行かせなかったなら……。事故後、私も生徒たちも、大輔のことが悔《くや》しくて、悲しくて、大粒の涙が止めどなく溢《あふ》れ、練習することさえままなりませんでした。

一匹の赤トンボ

そんな私たちに、再び前を向いて一歩を踏み出す力を与えてくれたのが、大輔のお母さんから届いた、「皆さん、悲しい顔で練習をしていたら大輔が泣きます。だから笑顔で練習してくださいね」というお手紙。そして大輔が野球日誌に書き残した次のような言葉の数々でした。

「当たり前のことを当たり前にやる。でもそれが難しい」「一分一秒を悔いのないように生きる。精いっぱい生きる」「エブリデイ　マイ　ラスト」。

泣いていてはいけない、大輔のためにも笑顔でプレーしよう、毎日を精いっぱい生き、絶対に甲子園にいこう——。小山台は都内有数の進学校で練習スペースも時間も限られており、甲子園はおろか上位進出さえ難しいのが現実でしたが、大輔の事故をきっかけにしてチームとしての絆《きずな》が深まり、必死に練習に励むようになったのです。

私もまた、大輔が遺した言葉をもとに、「日常生活に野球の練習がある」「何事もコツコツ努力する先に光があるんだ」と、選手たちに心の持ち様や、日常の基本姿勢の大切さを、以前にも増して強調するようになりました。

そのような〝大輔のために〟という私たちの思いが、天国の大輔に届いたのでしょうか。事故から四か月後に行われた千葉経大附高との試合中、ベンチに座っていると一匹の赤トンボが私の膝に止まり、じっと動こうとしません。私はハッとして、思わず「大輔か？」と手を伸ばすと、赤トンボは私の指にしっかり止まったのでした。

　さらに指から離れていった赤トンボに「おい、大輔！」と呼び掛けると、またぴゅーっとベンチに舞い戻ってくる。その瞬間、私も選手たちも涙が溢れて止まらなくなりました。奇《く》しくも大輔が最初に活躍してレギュラーを勝ち取ったのがこの千葉経大附高のグラウンド。大輔は赤トンボに姿を変え、私たちのもとに戻ってきたのです。

第12話

妹は私の誇りです

山元加津子《やまもとかつこ》／石川県立小松瀬領養護学校教諭

お姉さんの結婚式を前に

お姉さんの結婚式には、お姉さんに浴衣《ゆかた》を縫ってあげようと提案しました。でもきいちゃんは手が不自由なので、きっとうまく縫えないだろうなと思っていました。けれど一針でも二針でもいいし、ミシンもあるし、私もお手伝いしてもいいからと思っていました。けれどきいちゃんは頑張りました。最初は手に血豆《ちまめ》をいっぱい作って、血をたくさん流しながら練習しました。一所懸命にほとんど一人で仕上げたのです。とても素敵な浴衣になったので、お姉さんのところに急いで送りました。するとお姉さんから電話がかかって

第12話　妹は私の誇りです

きて、きいちゃんだけでなく、私も結婚式に出てくださいと言うのです。

お母さんの気持ちを考えてどうしようかと思いましたが、お母さんに伺うと、「それがあの子の気持ちですから出てやってください」とおっしゃるので、出ることにしました。

お姉さんはとても綺麗で、幸せそうでした。でも、きいちゃんの姿を見て、何かひそひそお話をする方がおられるので、私は、きいちゃんはどう思っているだろう、来ないほうが良かったんだろうかと思っていました。

会場に沸いた大きな拍手

そんなときにお色直しから扉を開けて出てこられたお姉さんは、驚いたことに、きいちゃんが縫ったあの浴衣を着ていました。一生に一度、あれも着たいこれも着たいと思う披露宴《ひろうえん》に、きいちゃんの浴衣を着てくださったのです。そして、お姉さんは旦那さんとなられる方とマイクの前に立たれ、私ときいちゃんをそばに呼んで次のようなお話しをされたのです。

「この浴衣は私の妹が縫ってくれました。私の妹は小さいときに高い熱が出て、手足が不自由です、でもこんなに素敵な浴衣を縫ってくれたんです。高校生でこんな素敵な浴衣が縫える人は、いったい何人いるでしょうか。

妹は小さいときに病気になって、家族から離れて生活しなければなりませんでした。私のことを恨んでるんじゃないかと思ったこともありました。でもそうじゃなくて、私のためにこんなに素敵な浴衣を縫ってくれたんです。私はこれから妹のことを、大切に誇りに思って生きていこうと思います」。


会場から大きな大きな拍手が沸きました。きいちゃんもとてもうれしそうでした。お姉さんは、それまで何もできない子という思いできいちゃんを見ていたそうです。

でもそうじゃないとわかったときに、きいちゃんはきいちゃんと

第12話　妹は私の誇りです

して生まれて、きいちゃんとして生きてきた。これからもきいちゃんとして生きていくのに、もしここで隠すようなことがあったら、きいちゃんの人生はどんなに淋《さび》しいものになるんだろう。この子はこの子でいいんだ、それが素敵なんだということを皆さんの前で話されたのです。

きいちゃんはそのことがあってから、とても明るくなりました。そして「私は和裁《わさい》を習いたい」と言って、和裁を一生の仕事に選んだのです。

第13話

命のバトンタッチ

鎌田《かまた》 實《みのる》／諏訪中央病院名誉院長

少しだけ長生きをさせてください

僕が看取《みと》った患者さんに、スキルス胃がんに罹《かか》った余命三か月の女性の方がいました。

ある日、病室のベランダでお茶を飲みながら話していると、彼女がこう言ったんです。「先生、助からないのはもう分かっています。だけど、少しだけ長生きをさせてください」。彼女はその時、四十二歳ですからね。そりゃそうだろうなと思いながらも返事に困って、黙ってお茶を飲んでいた。すると彼女が「子どもがいる。子どもの卒業式まで生きたい。卒業式を母親として見てあげたい」と言うん

第13話 命のバトンタッチ

です。

九月のことでした。彼女はあと三か月、十二月くらいまでしか生きられない。でも私は春まで生きて子どもの卒業式を見てあげたい、と。子どものためにという思いが何かを変えたんだと思います。奇跡は起きました。春まで生きて、卒業式に出席できた。

こうしたことは科学的にも立証されていて、例えば希望を持って生きている人のほうが、がんと闘ってくれるナチュラルキラー細胞が活性化するという研究も発表されています。おそらく彼女の場合も、希望が体の中にある見えない三つのシステム、内分泌《ぶんぴつ》、自律神経、免疫を活性化させたのではないかと思います。

さらに不思議なことが起きました。彼女には二人のお子さんがいます。上の子が高校三年で、下の子が高校二年。せめて上の子の卒業式までは生かしてあげたいと僕たちは思っていました。

でも彼女は、余命三か月と言われてから、一年八か月も生きて、二人のお子さんの卒業式を見てあげることができたんです。そして、一か月ほどして亡くなりました。彼女が亡くなった後、娘さんが僕のところへやってきてびっくりするような話をしてくれたんです。

お母さんが最後に作ってくれたお弁当

僕たち医師は、子どものために生きたいと言っている彼女の気持ちを大事にしようと思い、彼女の体調が少しよくなると外出許可を出していました。「母は家に帰ってくる度《たび》に、私たちにお弁当を作ってくれました」と娘さんは言いました。

彼女が最後の最後に家へ帰った時、もうその時は立つこともできない状態です。病院の皆が引き留めたんだけど、どうしても行きたいと。そこで僕は、「じゃあ家に布団《ふとん》を敷いて、家の空気だけ吸ったら戻っていらっしゃい」と言って送り出しました。

ところがその日、彼女は家で台所に立ちました。立てるはずのない者が最後の力を振り絞ってお弁当を作るんですよ。その時のこと

第13話 命のバトンタッチ

を娘さんはこのように話してくれました。

「お母さんが最後に作ってくれたお弁当はおむすびでした。そのおむすびを持って、学校に行きました。久しぶりのお弁当が嬉しくて、嬉しくて。昼の時間になって、お弁当を広げて食べようと思ったら、切なくて、切なくて、なかなか手に取ることができませんでした」。

お母さんの人生は四十年ちょっと、とても短い命でした。でも、命は長さじゃないんですね。お母さんはお母さんなりに精いっぱい、必死に生きて、大切なことを子どもたちにちゃんとバトンタッチした。

人間は「誰かのために」と思った時に、希望が生まれてくるし、その希望を持つことによって免疫力《めんえきりょく》が高まり、生きる力が湧いてくるのではないかと思います。

第14話

小児末期がん患者への涙の演奏会

渕上貴美子《ふちがみきみこ》／杉並学院中学高等学校合唱部指揮者

大きくなったらお姉ちゃんと一緒に歌いたい

小児科の末期《まっき》がん患者の病棟に演奏をしに行った時のことです。

寒い時期だったんですが、扉を開けると、物凄く暑くて、狭い部屋だったんです。目の前には、本当にこの子がもうがんなんだろうか、と思うような赤ちゃんから、放射線で髪の毛がぼさぼさになってしまっている子、頬《ほお》全体が陥没《かんぼつ》して顔が半分ない子だとか、そんな状態の子たちがたくさん……。

その子たちの前で、私たちは部屋の隅っこのほうにへばりつくように立ちました。敷《し》かれたホットカーペットの上には、お母さん方

第14話　小児末期がん患者への涙の演奏会

も座っていたり、廊下にはドクターや看護師さんの姿も見えました。

私は壁の一番端に行って、指揮棒を振ったんですが、もう涙が止まらなくて、本当に……。私の目の前で、お母さんが乳飲み子《ちのご》をギューッと抱えながら、涙をポロポロ零《こぼ》すんですよね。

あぁ、自分の子はこんなに大きくなるまで育つことができないんだ、とか、いろいろ思われたんじゃないかと思うんですが、看護師さんもドクターも皆泣いていらして、泣いていなかったのは、当のがんの子供たちだけで。私も我慢しなくちゃ、と思うんですが、もう悲しくて悲しくて、生徒たちも涙をポロポロ零しながら、でも必死に笑顔をつくって、一所懸命歌って。

そしたら歌が終わった後に、髪の毛のない子や顔の陥没した子たちが「お姉ちゃんたち、どうして泣いてるの」って言うんです。看護師さんが「あなたたちがあんまり一所懸命聴いてくれるから、お姉ちゃんたち感動しちゃったのよ。楽しかった?」と尋ねました。するとその中の一人が「すごく楽しかったぁ。大きくなったらお姉ちゃんと一緒に歌いたい」って、もう私、本当に胸が張り裂けそうで……。

その時に、心から、あぁ歌は素晴らしいと思いましたし、いま生きていて、自分のできることを一所懸命やることが、どんなに大切なことかをすごく強く感じました。

思いっきり泣くことができた日

その帰りの電車の中で生徒から「先生、あんなに皆を悲しませちゃって、私たちが合唱をしに行ったことは本当によかったんでしょうか」と聞かれたんです。何しろあの場にいた大人たちがあまりにも涙を流していましたから。

その時に私は「うん、よかったんだよ。たぶん、お母さんも、病院の先生も、看護師さんも、皆悲しくて、もう泣きたくて、泣きたくてね。でも、いま一所懸命生きている子たちの前で泣けないでしょ？　それを、あなたたちの歌で感動したふりをしてね、思いっきり泣くことができたからよかったのよ。明日からまた笑顔で頑張っ

第14話　小児末期がん患者への涙の演奏会

ていけると思う」と言ったんです。

するとと生徒が「そうか。じゃあ私たちの歌で少しは楽になったのかな？」と言うから「そうよ。そして歌を聴いていた子たちが『お姉ちゃんと一緒に歌いたい』と言った。生きよう、って。いや、生きるということは分からないかもしれないし、もしかしたら一か月後には命がない体かもしれないけれど、少しでも希望を持って生きようとしたということは、素晴らしいことだから」と話して、お互いに感動しながら学校に戻ったことがあるんです。

第15話

息子からの弔辞

井坂《いさか》 晃《あきら》／ケミコート名誉会長

父親の遺影の前で

七月二十九日の十一時少し前に、葬式の会場である九十九里町《くじゅうくりまち》片貝《かたかい》の公民館に入った。会場の大部屋は畳敷《たたみじ》きで、棺《ひつぎ》の置かれた祭《さい》壇《だん》の前には、すでに遺族と親戚《しんせき》の方々が座していた。

私は中川夫婦に黙礼《もくれい》をして後方に並んでいる折りたたみ椅子に腰掛けた。祭壇《さいだん》の中央では、故人の遺影《いえい》がこちらを向いてわずかに微《ほ》笑《え》んでいる。ドキリとするほど二枚目で、その表情からは男らしさが滲《にじ》み出ていた。会場には私のほかに高校生が五、六人、中学生の制服を着た女の子が数人、そして私のような弔問客《ちょうもんきゃく》が三十人くらい

第15話　息子からの弔辞

座していた。広間に並べられた座布団の席はまばらに空いていた。

葬式は十一時ちょうどに始まった。右側の廊下《ろうか》から入ってきた二人の導師《どうし》が座《ざ》すと、鐘の音とともに読経《どきょう》が始まった。後ろから見ると、二人ともごま塩頭を奇麗《きれい》に剃《そ》っていた。読経の半《なか》ばで焼香《しょうこう》のためのお盆が前列から順々に廻《まわ》されてきた。私も型通り三回故人に向けて焼香し、盆を膝《ひざ》の上に載《の》せて合掌《がっしょう》した。しばらくして全員の焼香が終わると、進行係の人がマイクでボソリと「弔辞《ちょうじ》」とつぶやいた。名前は呼ばれなかったが、前列の中央に座っていた高校生らしい男の子が立った。

すぐに故人の長男であることが分かった。私には、彼の後ろ姿しか見えないが、手櫛《てぐし》でかき上げたような黒い髪はばさついている。高校の制服らしき白い半袖シャツと黒い学生ズボンに身を包み、白いベルトを締めていた。彼はマイクを手にすると故人の遺影に一歩近づいた。「きのう……」。言いかけて声を詰まらせ、気を取り直してポツリと語り始めた。「きのうサッカーの試合があった。見ていてくれたかなぁ」。少し間をおいて、「もちろん勝ったよ」。

俺がそっちに行くまで待っててね

二十八日が葬式であったら、彼は試合には出られなかった。司法《しほう》解剖《かいぼう》で日程が一日ずれたので出場できたのである。悲しみに耐えて、父に対するせめてもの供養《くよう》だとの思いが、「もちろん勝ったよ」の言葉の中に込められていたように思えた。

「もう庭を掃除している姿も見られないんだね、犬と散歩している姿も見られないんだね」。

後ろ姿は毅然《きぜん》としていた。淋《さび》しさや悲しみをそのまま父に語りかけている。

「もうおいしい料理を作ってくれることも、俺のベッドで眠り込んでいることも、もうないんだね……」。あたかもそこにいる人に話すように「今度は八月二十七日に試合があるから、上から見ていてね」。

第15話　息子からの弔辞

その場にいた弔問客は胸を詰まらせ、ハンカチで涙を拭《ぬぐ》っていた。
「小さい時キャッチボールをしたね。ノックで五本捕れたら五百円とか、十本捕れたら千円とか言っていたね。二十歳になったら『一緒に酒を飲もう』って言ってたのに、まだ三年半もある。クソ親父と思ったこともあったけど、大好きだった」。

涙声になりながらも、ひと言、ひと言、ハッキリと父に語りかけていた。「本当におつかれさま、ありがとう。俺がそっちに行くまで待っててね。さようなら」。

息子の弔辞は終わった。父との再会を胸に、息子は逞《たくま》しく生き抜くだろう。

第16話

両目を失明した時に九歳の息子が言ったこと

福島令子《ふくしまれいこ》／「指点字」考案者

最後の手術も空しく……

息子の智《さとし》はね、失明する前に眼圧《がんあつ》が上がってね。もう、辛抱《しんぼう》強い子やのに泣きました。そうすると、熱は出るし、お部屋の人が皆寄ってきて、足をさすったり何かしながら「頑張れ」とか「神様に拝んであげる」とか言ってくれました。普段泣かない子が泣くんですから、相当痛かったと思うんですけど。

大人でも、眼圧が上がったらすごく苦しいそうですね。もう、ほんとにあの時は可哀相やったですよォ。

第16話　両目を失明した時に九歳の息子が言ったこと

智は水を飲まなかったら眼圧は上がらないと信じ切っていて、好きな苺《いちご》を食べる時でも、これ一個で五cc分かなとか言いながら。そのうち師長《しちょう》さんが「お願いやからヤクルトでも飲んでちょうだい」と言いましたが、意志が強くて頑として拒否し、水でうがいなどをして辛抱していました。智の皮膚《ひふ》はミイラみたいに皺《しわ》が寄ってね。その後、最後の手術をされたけど、眼圧が上がり切っていてもう手に負えなかったですね。

その時、智はね、いろいろと考えたんだと思います。まだ九歳やのに、偉いなぁと思いますよ。

お祖父ちゃんへの電話

智の入院費用などをたくさん出してくれていた祖父が、智の目が見えなくなったと聞いたら、もう、泣いて、泣いてね。祖母が言うには、家で祖父の姿を三日間も見かけないと思ったら、家の二階へ上がって泣いていたそうです。

でも智はね、お医者も恨《うら》まなかったし、神仏にも不平を言わず、親にもとやかく言いませんでした。

そしてね、自分は失明しているのに、祖父が泣いてると聞いたら「お祖父《じい》ちゃんに電話をかけるから地下まで連れてって」と言って、病院からこんな電話をしたんです。「お祖父ちゃん、泣いても仕方ないんだよ。するだけのことをしてこうなったんだから。世界中で一番偉い先生が診《み》てもダメな時はダメなんだよ」って。

そして「僕はね、いま悲しんで泣いてるより、これから先、どういうふうに生きていったらいいかを考えるほうが大事だと思ってるんだよ。お祖父ちゃん、僕は大丈夫だからね」。

祖父はそれを聞いて、余計泣いたと言いました。親が言うのもおかしいですが、この時は私も、すごい子やなぁと思いました。

※福島智氏は三歳で右目を、九歳で左目を失明。十八歳で失聴し、全盲ろうとなるも、二〇〇八年に東京大学教授に就任。全盲ろう者として世界初の常勤大学教員となった。

第17話

命とは君たちが持っている時間である

日野原重明《ひのはらしげあき》／聖路加国際病院理事長

本当に大切なものは目には見えない

僕はいま人生において最も大切だと思うことを、次の世代の人に伝えていく活動を続けているんです。僕の話を聞いた若い人たちが何かを感じ取ってくれて、僕たちの頭を乗り越えて前進してくれたらいいなと。

その一つとして僕は二年前から二週間に一回は小学校に出向いて、十歳の子どもを相手に四十五分間の授業をやっています。

最初に校歌を歌ってもらいます。前奏《ぜんそう》が始まると子どもたちの間に入って、僕がタクトを振るの。すると子どもたちは外から来た年配の先生が僕らの歌を指揮してくれたというので、心が一体になるんですね。

僕が一貫してテーマとしているのは命の尊さです。難しい問題だからなかなか分からないけれどもね。でも「自分が生きていると思っている人は手を挙げてごらん」と言ったら、全員が挙げるんです。「では命はどこにあるの」って質問すると、心臓に手を当てて「ここにあります」と答える子がいます。僕は聴診器《ちょうしんき》を渡して隣同士で心臓の音を聞いてもらって、このように話を続けるんです。

「心臓は確かに大切な臓器だけれども、これは頭や手足に血液を送るポンプであり、命ではない。命とは感じるもので、目には見えないんだ。君たちね。目には見えないけれども大切なものを考えてごらん。空気見えるの？　酸素は？　風が見えるの？　でもその空気があるから僕たちは生きている。このように本当に大切なものは目には見えないんだよ」と。

第17話 命とは君たちが持っている時間である

一度しかない命をどのように使うか

それから僕が言うのは、「命はなぜ目に見えないか。それは命とは君たちが持っている時間だからなんだよ。死んでしまったら自分で使える時間もなくなってしまう。どうか一度しかない自分の時間、命をどのように使うかしっかり考えながら生きていってほしい。さらに言えば、その命を今度は自分以外の何かのために使うことを学んでほしい」ということです。

僕の授業を聞いた小学生からある時、手紙が届きましてね。そこには、「寿命《じゅみょう》という大きな空間の中に、自分の瞬間瞬間をどう入れるかが私たちの仕事ですね」と書かれていた。十歳の子どもというのは、もう大人なんですよ。あらゆることをピーンと感じる感性を持っているんです。

僕自身のことを振り返っても、十歳の時におばあちゃんの死に接して、人間の死というものが分かりました。子どもたちに命の大切さを語り続けたいと思うのもそのためです。

第18話

天命追求型の生き方・目標達成型の生き方

白駒妃登美《しらこまひとみ》／ことほぎ代表取締役

秀吉と家康・信長の違い

大病を患《わずら》い、絶望の淵《ふち》に立たされた私は、発病前に読んだ話を思い出しました。人間の生き方には西洋の成功哲学に代表される「目標達成型」とは別に「天命追求型《てんめいついきゅうがた》」があるというのです。

天命追求型とは将来の目標に縛られることなく、自分の周囲の人の笑顔を何よりも優先しながら、いま、自分の置かれた環境でベストを尽くす。それを続けていくと、天命に運ばれ、いつしか自分では予想もしなかった高みに到達するという考え方です。そこでは、自分の夢だけを叶《かな》える for me より、周囲に喜びや笑顔を与える

第18話 天命追求型の生き方・目標達成型の生き方 ——

for you の精神、つまり志が優先されます。

天命追求型、目標達成型という視点から歴史を紐解《ひもと》くと、天命追求型はまさに日本人が歴史の中で培《つちか》った素晴らしい生き方であることに、私は気づきました。そして私自身も目標達成型から生き方をシフトし、天命に運ばれていくうちに、奇跡的に病状が快復したのです。

天命追求型に生きた歴史上の人物といえば、豊臣秀吉はその好例でしょう。秀吉は徳川家康、織田信長と比べて大きく違う点があります。家康や信長が殿様を父に持ったのに対し、秀吉は農家に生まれたことです。農民の子の秀吉が最初から天下統一を夢見たでしょうか。通説によると、秀吉は「侍になるために織田家の門を叩いた」ということになっていますから、おそらく若き日の秀吉は、天下を取るなど考えてもいなかったに違いありません。しかし、秀吉の人生はその夢を遙《はる》かに超えてしまうのです。

秀吉はなぜ夢を超えることができたのか

ご存じの通り、秀吉は最初、信長に〝小者《こもの》〟という雑用係の立場で仕えました。雑用係は、もちろん侍の身分ではありません。けれども、信長が秀吉を雇い入れた時、きっと秀吉は、農民の自分に目をかけてもらえたことに胸を躍らせ、心から感謝したのではないでしょうか。だからこそ、たとえ雑用係の仕事にも自分でできる工夫を施《ほどこ》したのだと思います。

寒い日の朝、信長の草履《ぞうり》を懐《ふところ》に入れて温めてから出した話は有名ですが、草履一つ出すにも喜んでもらえるようアイデアを加えたのです。やがて足軽となってからも信長を喜ばせたいという思いは変わらず、一層の信頼を得て侍に、さらに侍大将、近江《おうみ》国・長浜城の城持ち大名へと登り詰めるのです。

過去の自分を振り返ると、西洋の成功哲学に刺激を受け、目標達成に突っ走っていた頃、確かに夢は叶いました。受験勉強、就職活動、子育て、すべてにビジョンを描き目標を立ててやってきました。

第18話 天命追求型の生き方・目標達成型の生き方 ―

しかし、見方を変えれば夢しか叶わなかったのです。夢を超えた現実はやってきませんでした。

では、秀吉はなぜ夢を超えることができたのでしょうか。想像するに、秀吉は最初から天下取りなど考えず、いつも〝いま、ここ〟に全力投球する生き方を貫いたからだと思います。自分の身の回りの人たちに喜んでもらえることを精いっぱいやっていった。その結果、周囲の応援を得て次々と人生の扉が開き、天下人へと運ばれていったのではないでしょうか。まさに天命追求型の人生だったのです。

第19話

父を一瞬で制した母のひと言

星野精助《ほしのせいすけ》／星野物産会長

きょう一日働いた宝

母の教えで、子供心にいまも強く印象に残っていることがあるんですよ。当時、家には三、四十人ほどの従業員がおりました。普通なら、風呂などは、まず家族の者が先に入り、その後で雇《やと》い人が入るものです。それを母は、

「働いてくれている人がいるから生活できるんですよ」

と言って、私たち母子は一番最後に風呂に入ることになっていました。

第19話　父を一瞬で制した母のひと言

風呂には垢《あか》がいっぱい浮いていて、子供ですから、汚いなあと思っていましたよ。それを母は、「この垢が、きょう一日働いた宝だよ」と私に言って、垢を取り除き、感謝しながら入るんです。

もう一つ、私が経営者として、大きな転機を迎えた事件でも、母は私に深い愛情を示してくれました。

昭和二十八年、私は当時のお金で千二百万円の不渡り手形を摑んでしまいました。いまのお金にすれば優に十億円は超えるでしょう。どんなに怒られるかと思いましたよ。

一年間、決して小言を言ってはならない

ところが、母は怒る父を制しまして、

「今度、千二百万円ほど損するそうだね。お父さんと私のせいで、お前を大学に行かせてやれず、常々すまないと思っていた。一千二百万円の損は一生忘れないだろうし、この体験を生かすことは、社会大学を卒業したようなものだから、お赤飯《せきはん》でも炊《た》いてお祝いしま

しょう」

と。さらに父には、

「向こう一年間、精助に決して小言を言ってくださるな」

と言い、私の家内にも、

「あなたも亭主の前で、このことについて愚痴《ぐち》を言ってはいけませんよ」

と言い含めてくれたのです。さすがに赤飯は炊きませんでしたが、父も怒るに怒れず、妻も愚痴を言うことができなくなってしまったのでした。

経営の実際は、貧《ひん》すれば鈍《どん》するでしてね。翌年には脱税《だつぜい》で重加算《じゅうかさん》税《ぜい》を受け、経営の危機に瀕《ひん》し、銀行・仕入先などの信用も失墜《しっつい》してしまいました。結局、金銭的には家産を処分して切り抜けるしかなかったのですが、経営不安から次々と労働組合が誕生、近代経営の脱皮《だっぴ》にさらに苦しむことになります。

第19話　父を一瞬で制した母のひと言

それだけに、この時期、一年間、小言を言わないというお墨付きをもらったことが、どんなに私を勇気付けたことか、言葉に言い尽くせません。

第20話

笑顔に咲いた天の花

浦《うら》田《た》理《り》恵《え》／ゴールボール女子日本代表

二十歳の頃に突然……

目が見えなくなったのは、徐々に徐々に、じゃなくて、二十歳の頃にガクンと来たんですね。左の目が急に見えなくなって、すぐに右の目、とスピードが早かった。小学校の先生になるための専門学校に通っていた時で、卒業を間近に控えた三か月前の出来事でした。これまでできていたことができなくなるのが本当に怖かったです。

一年半くらいは一人暮らしのアパートから出られず、両親にも友達にも打ち明けられないままでした。

第20話 笑顔に咲いた天の花

もう本当にすごくきつくて、お先真っ暗で、見えないのなら何もできないし、できないんだったら別に自分がいる意味なんてないと考えたりもしました。

二十二歳のお正月の頃、もう自分ではどうにも抱えきれなくなって、このまま死んでしまうぐらいなら親に言おうと思ったんです。

その決心がようやくできて、福岡から久しぶりに熊本へ帰りました。熊本へは電車で帰ったのですが、全く見えないわけではないので、こう行けばそこに改札があったなといった記憶も辿《たど》りながら、駅のホームに降りて、改札口のほうへ向かいました。

身に染みて感じた家族のありがたさ

すると、すでに母が迎えに来てくれていたようで、「はよこっちおいで。何、てれてれ歩きよると?」と声がしました。

あぁ、お母さんや、と思って改札のほうへ向かったんですが、母の声はするんですけど、顔が全然見えなくって……。

その時に、あぁ、私、親の顔を見たのはいつやったかな、親の顔も見えなくなったんだということで、自分の目がもう見えなくなったことをすごく痛感させられた。改札のほうへも、さっさとは歩けないのでちょっとずつ歩いたのですが、母は私がふざけていると思ったそうです。

改札をやっと通り抜けて母の元へ行き、「私……、お母さんの顔も見えんくなったんよね……」と言ったら、母は「ほーら、また冗談言って。これ何本?」って指を出されたんですが、その数も全然分からなくて、母の手を触って確認しようとした。

その瞬間、母はもう本当に、改札の真ん前だったんですけど、ワーッとメチャクチャに泣き崩れて……。それを見てる私も、自分は何をやってるんだろう、とやるせない気持ちになったんですが、でもこれまでずっと自分一人で抱えてきたものを伝えられたと、肩の荷がちょっと下りた気持ちでした。

それと、親がしばらくして「何か自分ができることを探さんと

第20話　笑顔に咲いた天の花

ね」と声を掛けてくれた。その時に、あぁ自分がたとえどんな状態になっても親は絶対見捨てないでいてくれるなと実感できたんです。

それまでは家族の存在も、まるで空気のように当たり前に感じていたのですが、いてくれることのありがたさというのが初めて身に染《し》みて感じられました。そしてこれだけ応援してくれたり、励まして支えてくれる人がいるんだから、自分も何かをやらないと、とそれまで後ろ向きだった気持ちが少しずつプラスに変化していきました。

第21話

万巻の書物に匹敵する遺伝子暗号

村上和雄《むらかみかずお》／筑波大学名誉教授

途方もない遺伝子の情報

ヒトの遺伝子《いでんし》は、九十九・九％以上同じ遺伝子暗号を持っています。天才と鈍才《どんさい》の遺伝子暗号の差は、〇・一とか〇・〇一％でしかないんです。

ですからいま私たちは、そんなわずかな差のところで競争しているわけです。立派な会社の社長になったとか、偏差値の高い大学に入ったとか。しかし私たちは九十九・九％以上同じだということをもうちょっと認識したら、随分《ずいぶん》世界が変わってくると思うんです。

一つの命が生まれる確率は、一億円の宝くじが百万回連続して当

第21話 万巻の書物に匹敵する遺伝子暗号

たることに匹敵《ひってき》するんです。もう大儲《もう》けしたわけ。そうやって三十八億年間も選び抜かれてきた素晴らしい遺伝子を持っていることを忘れて、つまらない勝ち負けで一喜一憂《いっきいちゆう》しているのが現代人なんです。人間だけでなく、大腸菌《だいちょうきん》から人間まで、すべての生物の遺伝子は同じ文字を使い、同じ文法を使ってできています。だから生きとし生けるものは大きな流れで見ればまさに兄弟姉妹《きょうだいしまい》なんですね。

大腸菌もサルも人間も、すべての遺伝子は、ＡＴＣＧのわずか四つの塩基という物質、遺伝子暗号で書かれているんです。そしてそれが二つずつペアになって一つの細胞に入っている。それをゲノムと呼んでいます。だから、人間の細胞は約六十兆あるといわれていますが（最新の研究によれば、三十七兆個の細胞から成り立っているという発表があった）、その一つひとつの細胞の中にもゲノム、つまり人間をつくるための情報が全部入っているんです。これはすごいことです。

それから、一つの細胞の中に入っている遺伝子を広げると、その長さは約二メートルにもなります。人間の細胞は六十兆ですから、全部つなげると二メートル×六十兆にもなる。

世界中の人の遺伝子情報を全部集めても、お米一粒に収まるんです。遺伝子というのは細胞の中に一ゲノム、約三十億の文字（塩基）がずっと並んでできています。この三十億の文字情報を私たちが読める本に置き換えると、大百科事典三千冊分にもなるんです。一人三千冊。それを地球の人口六十億人分全部集めてもお米一粒に全部入るのです。

しかもそれが間違いなく働いているわけです。心臓は心臓に、肝臓には肝臓に必要な遺伝子しかスイッチが入っていない。必要な場所で必要なスイッチだけがＯＮになっている。それは見事に調和がとれてるわけですね。一体誰がこの情報を書いたのか。

第21話　万巻の書物に匹敵する遺伝子暗号

人智を超えた偉大な存在の働き

私はかつて、ヒトやイネの暗号の一部を解読して、得意になっていました。針の穴を百万等分したようなところに入っている三十億の文字をちょっと読めたと。

しかし私は思ったんです。それを読む技術も確かにすごいが、もっとすごいことがある。それは、それだけの情報が既《すで》に書き込んであるということです。万巻《ばんかん》の書物に匹敵する遺伝子暗号をこんな小さなところに一体誰が書いたのかと。もちろん人間じゃない。目に見える自然でもない。目に見える自然の奥に、目に見えないけれど不思議な働きがあることに気づいたんです。

これは人間業を超えた、ある意味で神仏の世界なんですね。しかし科学者があまり神仏と言うとあいつは終わったと言われかねない。どう表現したらいいかと考えて言い始めたのが、〝サムシング・グレート〟という言葉だったんです。

第22話

私の夢は大人になるまで生きることです

池間《いけま》哲郎《てつろう》／認定NPO法人アジアチャイルドサポート代表理事

あなたの夢は何ですか

三十五歳の時、異国の貧困地域における深刻な社会問題について調査・支援を始めたのがきっかけです。一生運動を続けようと決断したのは、フィリピンでの出来事でした。

マニラにスモーキーマウンテンという有名なゴミ捨て場がありましてね。もう撤去《てっきょ》されていないんですが、三十七、八歳の時、青年会議所の広報委員としてそこへ行ったのです。そこにはまだ四、五歳くらいの小さな子どもたちがたくさんいて、生活のために一日中ビンや缶を拾って、お金に換えていたのです。

第22話　私の夢は大人になるまで生きることです

大体夜明けとともに始めて、日が暮れるまでずっと働いているんです。大抵は父親を亡くした子で、母親が必死で働いても家族の食い扶持《ぶち》を稼げないから働いているんです。

子どもですから、もともと体力がない上に、慢性的《まんせいてき》な栄養不良で、しかも衛生的にもひどい所にいるので、ちょっとした病気や傷で死ぬんです。十五歳まで生きるのは三人に一人といわれています。

初めてそこに行った時、私は一人の女の子に「あなたの夢は何ですか」と聞いたんです。そうしたら、「私は大人まで生きたい」と笑顔で答えたんです。衝撃でした。路上生活やゴミ捨て場で暮らす多くの子どもたちに夢を聞いて回ったのですが、同じような答えが幾つも返ってきたのです。アジアの悲惨な事情は知っていましたが、あまりにも問題が大き過ぎるので、仮に自分が何かやったとしても、何も変わらないだろうと半分諦《あきら》めていたんです。

でもその言葉を聞いて、よし、俺は一生彼らを支援する活動をやり続けようと決心したんです。それまでの自分は、何でも適当にやってきた人間でした。でもゴミ捨て場にはあんな小さい子たちが泥まみれになって、爪《つめ》ははがれ、あちこち出血しながら必死で生きている。自分が情けなくなって、ゴミの中でワァワァ泣いたんです。あそこでスイッチが切り替わりました。これから自分も真剣に生きようと。おかげで、単にビデオ屋のオヤジでいるのとは、百倍も充実した人生を手に入れることができました。ですから、私にとって彼らは人生の師です。

僕を捨てたお父さんに心から感謝しています

エピソードを挙げればきりがありませんが、一つには、彼らはとっても親思いなんですね。例えば、カンボジアのセンソック地区は、夏になると気温は四十度近くまで上がって強烈な日差しが照りつけます。そこで、沖縄の中学生たちが作ってくれた千個の黄色い帽子を届けたら、現地の子どもたちは飛び上がらんばかりに喜んでくれましてね、その日は帽子を胸に抱いて寝たそうです。

ところが、一週間もすると帽子をかぶっている子をほとんど見なくなったんです。校長先生に尋ねると、実は、父親がかぶっている

第22話　私の夢は大人になるまで生きることです

ということでした。子どもたちは、「私は教室の中で勉強しているから大丈夫。お父さんは太陽が照りつける中、外で働いているから、お父さんがこの帽子をかぶって頑張ってください」と言って、帽子を父親にプレゼントしたそうなんです。

モンゴルでは、餓死《がし》するぐらいまで貧窮《ひんきゅう》した親が、子どもを都会に捨てることがあります。そのほうが生き延びる確率が高いんです。愛するからこそ捨てなければならないという悲しい現実があるんですね。そういう親に対して、施設に引き取られた子は「僕を捨てたお父さんに心から感謝しています」って言うんです。ある子は、毎晩建築現場で働きながら高校に行く資金を貯《た》めていたんですが、結局貯めたお金を両親に届けてくるといって、八百キロぐらい離れたところまで歩いて会いに行ったんです。

※池間氏は一九八九年より東南アジアの貧困にまつわる深刻な社会問題について調査・撮影・支援を現在も継続。国内外十か国において支援事業を展開し、受益者は延べ二百六十四万人以上、講演件数は四千六百回を超える。

第23話

母性のスイッチが入る瞬間

内田美智子《うちだみちこ》／助産師

お母さんの泣き声だけが響く分娩室

自分の目の前に子どもがいるという状況を当たり前だと思わないでほしいんです。自分が子どもを授《さず》かったこと、子どもが「ママ、大好き」と言ってまとわりついてくることは、奇跡と奇跡が重なり合ってそこに存在するのだと知ってほしいと思うんですね。

そのことを知らせるために、私は死産をした一人のお母さんの話をするんです。

そのお母さんは、出産予定日の前日に胎動《たいどう》がないというので来院

第23話　母性のスイッチが入る瞬間

されました。急いでエコーで調べたら、すでに赤ちゃんの心臓は止まっていました。胎内で亡くなった赤ちゃんは異物に変わります。早く出さないとお母さんの体に異常が起こってきます。でも、産んでも何の喜びもない赤ちゃんを産むのは大変なことなんです。

普段なら私たち助産師は、陣痛《じんつう》が五時間でも十時間でも、ずっと付き合ってお母さんの腰をさすって「頑張りぃ。元気な赤ちゃんに会えるから頑張りぃ」と励ましますが、死産をするお母さんにはかける言葉がありません。

赤ちゃんが元気に生まれてきた時の分娩室《ぶんべん》は賑《にぎ》やかですが、死産のときは本当に静かです。しーんとした中に、お母さんの泣く声だけが響くんですよ。

そのお母さんは分娩室で胸に抱いた後「一晩抱っこして寝ていいですか」と言いました。明日にはお葬式をしないといけない。せめて今晩一晩だけでも抱っこしていたいというのです。私たちは「いいですよ」と言って、赤ちゃんにきれいな服を着せて、お母さんの部屋に連れていきました。

浄化の涙

その日の夜、看護師が様子を見に行くと、お母さんは月明かりに照らされてベッドの上に座り、子どもを抱いていていました。
「大丈夫ですか」と声をかけると、「いまね、この子におっぱいをあげていたんですよ」と答えました。よく見ると、お母さんはじわっと零《こぼ》れてくるお乳を指で掬《すく》って、赤ちゃんの口元まで運んでいたのです。

死産であっても、胎盤《たいばん》が外れた瞬間にホルモンの働きでお乳が出始めます。死産したお母さんの場合、お乳が張らないような薬を飲ませて止めますが、すぐには止まりません。そのお母さんも、赤ちゃんを抱いていたらじわっとお乳が滲《にじ》んできたので、それを飲ませようとしていたのです。飲ませてあげたかったのでしょうね。

死産の子であっても、お母さんにとって子どもは宝物なんです。生きている子ならなおさらです。一晩中泣きやまなかったりすると「ああ、うるさいな」と思うかもしれませんが、それこそ母親にと

第23話　母性のスイッチが入る瞬間

って最高に幸せなことなんですよ。

母親学級でこういう話をすると、涙を流すお母さんがたくさんいます。でも、その涙は浄化の涙で、自分に授かった命を慈《いつく》しもうという気持ちに変わります。「そんな辛《つら》い思いをしながら子どもを産む人がいるのなら私も頑張ろう」「お乳を飲ませるのは幸せなことなんだな」と前向きになって、母性のスイッチが入るんですね。

第24話

お母ちゃんの宝物

東《とう》井《い》義雄《よしお》／教育者

中学三年生の宿題

皆さんは、この夏休みに、いろいろな宿題をいただいていると思いますが、私の近くの中学三年生の宿題は、毎年決まっているんです。それは、お母さんから、生まれた時のことを、ずっとお聞きして、「おいたちの記」を書くというのが、その中学三年生の宿題になってるんです。

ある年の中学三年の背の高い体格のいい、いうことを聞かん、やんちゃ者がいたそうです。

第24話 お母ちゃんの宝物

夏休みになった晩、

「お母さん、おいたちの記を書いていかんならんのや、僕の生まれた時のことから話しとくれ」

お母さんは黙ってお仏壇《ぶつだん》のほうへ行ったという。包みを持ってきました。黙って渡しました。

「何包んでんのや」

開いてみたら、まだ包んである。次のを開いてもまだ包んである。

「何をたいそうに包んで、包んでしとんやろうか」

開いて、開いて、開いて、開いていきましたら、最後に出てきたのが、爪《つめ》だったといいます。

「おいたちの記」のはじまり

「何だバカらしい。爪なんか」

と言い返した時に、お母さんが、

「あんたが生まれてくれた時、どんな子が生まれても、文句をいうてくとこなかったのに、両手にちゃんと十本の指が揃《そろ》っていてくれた。お母さんはうれしうてうれしうて、あんたの最初の十本の爪を、お母ちゃんの宝物にして、大事にしてきたんやで」

とおっしゃった時、その中学三年の、大柄《おおがら》の、いうこと聞かんやつが、

「お母ちゃん……」

第24話 お母ちゃんの宝物

いうて、お母さんの首たまにくっついて、お膝《ひざ》の上にぽとぽとと涙を落としたところから、そのおいたちの記がはじまっているんだと、校長先生からお聞きしたことがあります。

いい夏休みをすごしたもんですね。宿題のおかげで、このいうこと聞かん、やんちゃ者が、このお母さんによって育てられてここまできた。大柄な体でありながら、小さい自分が大きなものに祈られている、願われている、その中の自分であったということに目覚めたということでしょうね。

第三章

人生に誓うものを持つ

第25話

世界一の監督になれたバックボーン

松平康隆《まつだいらやすたか》／全日本バレーボール協会名誉会長

繰り返し教えられたこと

父は小さいながらも事業を営《いとな》んでいましたが、父にもしものことがあれば、目の見えない自分と小さな息子が路頭《ろとう》に迷ってしまう。あの頃は社会保障なんてない時代でしたから、物乞《ものご》いになるか、死ぬかどちらかしかないわけです。

そこで一念発起《ほっき》した母は、女性が仕事を持つことが考えられない時代に骨瓶《こつがめ》を焼く会社を設立したんです。鹿児島の女性でしたし、強い女性だったことは確かです。また、なんとしても生きていかなければという気概《きがい》がそうさせたのでしょう。

第25話　世界一の監督になれたバックボーン

　その母が私に繰り返し教えたことが三つありまして、まず一つが、「負けてたまるかと静かに自分に言いなさい」。

　簡単に言えば克己心《こっき》ですよね。人間はどんなに強そうに見える人にも弱い部分がある。その弱さとはナヨナヨしているということよりも、怠惰《たいだ》であったり、妥協でしたり、みんな己に対する甘さを持っているわけです。だから常に自分白身を叱咤激励《しったげきれい》し、己に打ち克《か》つことが人生では大切なことだと、そういう実感が障害と共に生きた母にはあったのでしょう。この「負けてたまるか」は、監督になって世界一を目指す私にとって一番大切な言葉であり教えとなりました。

語尾をはっきりしろ、卑怯なことをするな

　昔の人でしたから、母はとにかく「男とは」「男とは」といつも私に言っていましたが、二つ目の教えは、「男は語尾《ごび》をはっきりしろ」です。母は目が見えませんでしたから、言葉ではっきり伝える

ということが実生活でも非常に大切なことでした。そして結局これが、男としての出処進退《しゅっしょしんたい》に繋がっていくんですね。

欲しいのか、欲しくないのか。するのか、しないのかをはっきりと宣言する。そして男は一度口にしたら絶対にブレてはいけないと。チームを率《ひき》いる監督も、二言があったら選手は絶対についてきません。もちろん試合の作戦なんかは状況に応じてどんどん変えていくわけですが、チームの目指すべき方向性や指導方針などにブレがあったら絶対にダメです。


それから三つ目の教えは、言ってみれば、「卑怯《ひきょう》なことをするな」ということ。具体的に言うと、私はおふくろが目の見えないことを利用して騙《だま》したことがあったんです。

「康隆！　おまえは目明きだ。目が見える者が見えない者の弱みにつけ込んで騙すとは、男として、人間として最低だ！　男は卑怯なことをするな！」。

これには参りました。自分としては全然悪気のない嘘だったので

第25話　世界一の監督になれたバックボーン

すが、確かに目の見えない母を騙していたんだなと思って、金輪際《こんりんざい》、人の弱みにつけ込むような卑怯なことはしまいと心に誓いました。後にスポーツの道に進んでも「卑怯なことをして勝つことは絶対にしない」と決めていたし、それは選手にも幾度となく言ってきたことです。だから、私が世界一の監督になれたバックボーンは、盲目《もうもく》の母の三つの教えによってつくられたといっていいでしょう。

第26話

私を目覚めさせた母の一喝

原田《はらだ》隆史《たかし》／原田教育研究所社長

マスコミにも報道された事件

奈良教育大学で中学の体育教師の免許を取得し、初めに赴任したのは大阪市最大のマンモス校でした。生徒千六百名、教職員百名。体育の教師だけでも僕を含めて八名もいる学校です。当時は非常に荒れていて、生徒の服装は乱れ、校内には煙草《たばこ》の吸い殻が落ちており、僕も初日からえらい目に遭《あ》いました。グラウンドから校舎に入ろうとした瞬間、三階の窓から僕を目がけて椅子《いす》が落ちてきたのです。間一髪《かんいっぱつ》で当たらずに済んだものの、当たっていたら当然死んでいた。そういう悪事を平気で働く生徒がいたのです。

第26話　私を目覚めさせた母の一喝

授業以前に生徒たちの生活態度を直さなければならない。そう考え、登校時に校門に立ち服装チェックをし、反抗的に向かってくる生徒に対しては真正面から厳しく向き合い続けるうちに、徐々に校風に変化を感じていきました。

ところが赴任三年目、二十五歳の時、僕の教師人生を揺るがす大事件が起きました。受け持っていた生徒が、あろうことか両親によって殺されてしまったのです。少年の家庭内暴力に思い悩んだ末に、少年が寝ている間に両親が殺《あや》めてしまったという悲劇……。この衝撃的な事件はマスコミでも大きく報じられ、「教師や学校は何をやっていたのだ」と集中砲火《ほうか》を浴びました。

その結果、落ち着きを見せ始めていた学校が再び地獄のようになりました。生徒たちが学校のガラスを割る、教室にペンキをぶちまける。女性の先生が殴られる。多くの先生がストレスで学校に来られなくなりました。そして遂に、僕も髪の毛が抜けてしまい、三十八度の高熱が出てしまったのです。

たった一度きりの涙

フラフラになりながら自宅に戻り、母に学校を休む旨《むね》を告げました。母もこの惨状《さんじょう》を知っていたため、当然僕は優しい言葉を掛けてもらえると期待していたわけです。ところが母はなぜか、黒のマジックペンを持ってくるではありませんか。そして、そのマジックペンで塗り始めたのです、僕の髪が抜けたその箇所を。

びっくりして言葉も出ませんでした。恐る恐る顔を上げると母は涙を流しながら言いました。

「あんたは教師を辞めようとしているやろ？　顔に書いてある。あんた、よう聞きや。辛《つら》いことがあったからといって仕事を変えたところで、新しいプラスの芽が出るのか？　違うやろ。自分を変えなさい。自分を変えない限り、仕事を変えても一緒やで」。

母の泣き顔を見たのは後にも先にもこの時だけです。普段はマザー・テレサのように優しかった母の一喝《いっかつ》で覚醒《かくせい》し、一念発起して再び教師の仕事に向き合うことができました。

第26話　私を目覚めさせた母の一喝

やはり、困難に直面した時に優しい言葉を掛けても人は育ちません。厳しくも本気で向き合ってこそ成長を遂げ本物になるのです。この出来事が私の教師としての原点であり、母は最大の教師です。

第27話

みてござる

西端春枝《にしばたはるえ》／大谷派浄信寺副住職

火にも焼けず、水にも流れない言葉

私は大谷学園という仏教の学校を出ております。当時、左藤義詮《ぎせん》という校長先生がおられて、私が大谷にいる間、繰り返し繰り返しおっしゃっていたのが「みてござる」という言葉でした。

左藤先生は立派なお寺の住職《じゅうしょく》さんで、後に大阪の知事になられた方ですけれども、ある時大阪・船場《せんば》の問屋さんにお説教に行かれるんですね。その問屋の玄関に立った時、大きな扁額《※へんがく》があり、平仮名《ひらがな》で「みてござる」と書いてあったらしいのです。上へ上がられたら応接間にも「みてござる」、お手洗いにも「みてござる」、仏間にも

第27話　みてござる

「みてござる」の額が飾ってある。

　それで左藤先生がご主人に「珍しいですね。扁額はよう読まない難しい字が書かれてあるものなのに」とお尋ねになったら、ご主人は次のような話を始められたのだそうです。

　その方のお父さんは飛騨高山《ひだたかやま》のご出身なのですが、小さい時に父親を亡くされて貧乏のどん底でね。お母さんが「どうしてもおまえを養えないから」とおっしゃって、十三歳で大阪に奉公に行かれるのです。いよいよ明日は見知らぬ大阪に出発という日の晩、二人ともなかなか眠れない。お母さんが「じゃあ、お話ししようか」と夜《よ》が白《しら》むまで子どもにお話をされました。

「貧乏でおまえに何もしてあげられなかった。何か餞別《せんべつ》をしたいんだけど、それもできない。物を買うお金もないので、火にも焼けないし水にも流れない言葉をあなたに贈ります」。

　そう言ってお母さんが平仮名《ひらがな》で書いて、少年に手渡されたのが「みてござる」という言葉だったんです。

※扁額：門戸や室内などに掲げる長い額。

生涯のお守り

少年はその言葉を持って大阪に出るのですが、やはり辛《つら》い船場でのご奉公があって、ある時淀川の堤防を歩きながら「辛いなあ、お母さん恋しいなぁ。この川にはまれば楽になれるのに」と思っていたら、ふと「みてござる」という言葉が頭に浮かんで少年を引き戻すんですね。それからも、先輩からいじめられたり、いろいろ辛い体験をされるのですが、そういう時のお守りが常に「みてござる」だったといいます。

この方はやがて船場で店を張るまでに成功し、七十五歳でお亡くなりになられます。臨終《りんじゅう》の場に息子たちや番頭さんを集めて「いろいろお世話になりました。私はおかげさまで成功できたと思うけれども、それには、やはり目に見えない私を引っ張ってくれるものがあった。それが『みてござる』という言葉なんや。どうか子々孫々《ししそんそん》に伝えて長く我が家の家宝としてほしい」と言われたというんです。

第27話　みてござる

私は左藤先生に七年ほどお世話になりましたけれども、法話の時間に「みてござる」という言葉を聞かされたのでした。だからこそ皮膚《ひふ》の中から入ったのかなと思います。左藤先生にしてみたら「言わずにおれない」というお気持ちだったのでしょう。本当の教育者でした。

第28話

戦死した二人の兄の教え

相田《あいだ》みつを／書家

泣かなかったあんちゃん

一人のあんちゃんが、幼い時に、私の手を引いて、よく原っぱへ紙芝居を見に連れて行ってくれたんです。その紙芝居を見るのに、貧しくて当時、一銭のお金がないんですよ。後ろのほうで気兼ねな思いをしながら、見てたんですが、ある時、そのあんちゃんが、襟《えり》首《くび》をつかまれてね。「このガキは毎日毎日ふてえガキだ」と言われて、みんなの前でピーンとほっぺたを叩かれるんですね。その時に泣き出せば、それで終わったんですね。

あんちゃん、泣かなかった。なぜかというと、後ろにね、弟の私

第28話 戦死した二人の兄の教え

がいるから、くうっと渾身《こんしん》の力で私のほうを見ている。泣かないものだから、おじさんが「何て強情《ごうじょう》なガキだ」というんで、反対のほっぺたを叩かれて、ほっぺたが両方、真っ赤になりました。

その時の印象は、おじさんの手が大きくて野球のグローブのような印象がありましたね。私は背筋がゾクゾクして震え上がったのを、いまだに覚えています。やがて、その紙芝居のおじさんから解放されて、あんちゃんは一滴も涙を流さないんですよ。で、棒切れを拾いましてね。いまから考えると、秋のことでした。まんじゅしゃげの花がいっぱいに咲いているのを、全部、折っちゃいました。何ともやりきれない思いで、私はあんちゃんの後ろをとぼとぼとついて行った経験がある。

このあんちゃんが、小学校を終えるとすぐ、私の家はおやじが日本刺繍《ししゅう》をやっていたので、その跡取りになって、そのあんちゃんの働きによって、私が旧制の中学校にやってもらったんです。

自分の心のどん底が納得する生き方

で、私が旧制中学の四年生の時にそのあんちゃんは兵隊に行くわけですが、ある時、裸電球を真ん中に置いて、夜なべで刺繍してた。私はちゃぶ台の古いのを置いて勉強していたんですね。その時に、あんちゃんが、「みつをなあ、おまえも来年は最上級学生だな。最上級学生になると、下級生を殴る、という話を、俺は聞いたが、おまえだけは下級生を殴るような、そういう上級生にならないでくれ」「無抵抗な者をいじめる人間なんていうのは、人間として最低のクズだぞ」ということを、針を運びながらね、懇々《こんこん》と言うんですよ。「ああ、紙芝居のおじさんに叩かれたという心の傷が深ーいところにあって、それから出てくるんだろうな」と、私はピンピン分かったんですね。

それで、その後に刺繍《ししゅう》の手を止めて、私の足先を指差してね。「おまえの足な、足袋《たび》に穴っぽがあいてるけれども、ボロな足袋を

第28話　戦死した二人の兄の教え

はいていることは、一向に恥ずかしいことはないぞ」と。「そのボロな足袋をはいていることによって、心が貧しくなることが恥ずかしいんだ、その足袋の穴から、いつでもお天道《てんとう》さまを見てろ」と。これは、私のあんちゃん、偉かったなと思うんですね。で「いつでも心は貴族のような心を持っていてくれ」。

三つ目に、「貧《ひん》しても鈍《どん》するな」。この言葉の意味を当時、私は分かりませんでしたが、「どんなに貧しくても、卑《いや》しい根性を持つな」ということですね。そして、もう一人のあんちゃんは、こういうことを言いました。「同じ男として生きる以上は、自分の心のどん底が納得する生き方をしろよ」と。

第29話

野球がうまくなるには　どうしたらよいか
——イチローの答え

山本益博《やまもとますひろ》／料理評論家

感情をコントロールする

普通の人間は微妙《びみょう》な心理的動揺が顔や所作《しょさ》に現れるものだ。それがメジャーリーグという世界最高レベルの野球選手が集《つど》う場所ならなおさらである。

しかしイチローは、いついかなる時も無表情。ヒットを打っても、ホームランを打っても淡々《たんたん》としている。それは昨年（二〇〇四年）、故ジョージ・シスラーの二百五十七に並ぶヒットを打った時も、二百五十八本のメジャーリーグの新記録を樹立した時も例外ではなかった。

第29話　野球がうまくなるにはどうしたらよいか

あれだけヒットを量産しているから、塁《るい》に出ることが当たり前になっているのか。無論《むろん》そんなことは決してない。「あのヒット一本打つのに、どれだけの時間を費やしているか。あのヒットの一本がどれだけ嬉しいか……」。もちろん、そのそぶりは、見せないですよ。でも、ヒット一本って、飛び上がるくらい嬉しいんですよ、実は」。かつてイチローがインタビュー中に語った言葉である。本当は誰よりもヒットを喜んでいるのだ。

試合中彼をよく見ていると、ヒットで出塁した時、必ずヘルメットの右の耳当ての小さな穴に右手の人差し指をヒョイと突っ込む仕草をする。盗塁に成功した時も同様の仕草を見せるが、フォアボールで出塁した時は省かれることがある。

もしかするとイチローはこの仕草によって、喜びで顔が弛《ゆる》むのを押し殺し、感情をコントロールしているのではないだろうか。

「審判の判定に対してクレームをつけたりとか、ホームランを打ったあとにガッツポーズをしたりというのは、あまり良いものだとは思いません。それで試合が決まっていればいいと思うんですけど、そうでない場面というのは、スキがあるような気がします。(中略)選手としてカッコいいと思うのは、表情から気持ちが読み取れない選手です。僕もそうしたいし、そうでありたいと思っています」。

イチローが最も軽蔑する態度

この言葉からも分かるように、イチローは一つのプレーに一喜一憂し、感情を顕《あらわ》にすることは相手にスキを与え、カッコよくないと思っている。だからホームランを打てば大喜び、三振すればバットを地面に叩《たた》きつけるような選手のことは、「別に道具が悪いわけじゃないんだから……」と言って一番軽蔑《けいべつ》するのである。

かつてイチローは子どもたちに

「野球がうまくなるにはどうしたらよいか」

と質問された時、

第29話　野球がうまくなるにはどうしたらよいか

「道具を大切にするように」

と答えていた。言葉の通り、彼は本当に道具を大切にする。その様子はプレーの端々《はしばし》から感じ取れる。

まず、ヒットで出塁する時、決してバットをポーンと放り投げたりしない。先が地面につくまでグリップを離さない。

さらに圧巻なのはフォアボールでの出塁のシーン。普通の選手ならベンチ近くに控えるバットボーイへポーンと投げるのに、イチローは必ず足元にそっと置いて一塁へ走り出す。ベンチで打順を待っている時は、バットケースには置かず、常に自分のそばに立てかけている。その姿は、まるで子どもが大切にしている宝物を肌身離さずに抱きしめているかのようである。

第30話

人間のプロになれ

杉原輝雄《すぎはらてるお》／プロゴルファー

ベストを尽くすことの大切さ

ゴルフにおける勝者は一つの試合にたった一人しかいない。だからこそ、無数の負けとどう向き合うか、また悲観的な状況にあっても、決して腐《くさ》らず一所懸命に取り組むことが大切になってくるのである。

そのことを私に教えてくれたのは、オーストラリアのグラハム・マーシュという選手だった。彼はもともとゴルフが下手で、しばらくして日本ツアーに参戦できるようになったものの、プレーの運び方が非常に鈍く、他の選手やギャラリーたちをいつも苛々《いらいら》させてい

第30話　人間のプロになれ

た。

約三十年前に名古屋で開催された中日クラウンズで彼と一緒に回った時、初日、二日目とも成績は振るわず、彼も私も予選落ちは確定と言える状態だった。しかしマーシュは懸命だった。十八番ホールのグリーン上で、入ろうが入るまいが大した意味のないパーパットを沈めようと、彼は入念《にゅうねん》に芝目《しばめ》を読んでいたのである。一方、勝ち目のない試合だと踏んでいた私は、彼のプレーを苛立ちながら眺めていた。

しかしそのパーパットを着実に沈めたマーシュは、翌週ぐんぐんと調子を上げ、予選を通過するどころか、見事優勝を決めてしまったのである。その日の調子がよかろうが悪かろうが、目の前にある一打一打を一所懸命に打たなければいけない、常にベストを尽くさなければいけないと教わった出来事だった。

ゴルフは努力をしさえすればいい結果が得られるものではないが、

どんな時でも一所懸命に取り組んでいないと、よい結果には繋がりにくい。その時その時において常にベストを求められるのは、人生においても全《まった》く同じではないだろうか。

当たり前のことが当たり前にできるように

思えば小学校の頃からゴルフの世界に携《たずさ》わらせていただき、いろいろな方にお世話になった。昔はいまのように試合数が多くなく、出場したくてもできなかったことがたくさんあった。いまの若いプロゴルファーの多くは、小さな頃から自分のクラブを与えられ、試合に出られることも、練習をさせてもらえることも当然のように思っている。

もっとも、私自身も気がつくのが遅かったが、誰のおかげでゴルフをしていられるのかと考えた時、私は試合後にお世話になったスポンサーやコースの支配人宛に礼状を出すことにした。四十歳を過ぎた頃だっただろうか。

第30話 人間のプロになれ

私は人は皆、生まれた時から〝人間のプロ〟になるという使命を担っているのではないかと考えている。人間であれば心があるのだから、挨拶もするし、相手への思いやりも当然持つことだろう。何も特別なことは必要なく、当たり前のことを当たり前にできるようになれば、その人は人間として立派なプロなのだ。

ゴルフに限らず、その世界の上位クラスで活躍をする人は一流の素質か、それに近いものを持っている。しかし人間として一流でなければ、その人の値打ちは半分以下になってしまう。人間のプロ。病気や年齢の壁に立ち向かい、自らに挑み続けることもその条件の一つであると思う。

第31話

一生を一日として計算しなさい
――東井義雄の教え

西村《にしむら》 徹《とおる》／豊岡市立府中小学校教諭

自分をつくっていくということは

卒業の前に東井《とうい》義雄先生からいただいた色紙を持ってまいりました。

「あすがある
あさってがあると考えている間は
なんにもありはしない
かんじんの
『今』さえないんだから」

第31話　一生を一日として計算しなさい

その脇に、小さく「『自分をつくっていくということは一秒一分でもだいじにすることだ』という西村徹君」と添えられています。八鹿《ようか》小学校では、卒業時に六年生一人ひとりに東井先生がそれぞれに合った言葉を色紙に書いてくださるのが慣例でした。

いま同級生に会うとみな口を揃《そろ》えて、なぜ東井先生は自分たちが小学生の頃にこんなにぴったりとした言葉を贈ってくださったのか不思議だと。それだけ一人ひとりをよくご覧になっていらしたのでしょうね。その眼力には感服いたします。

ただ、恥ずかしながらこの言葉をいただいた時は、意味を深く考えることもなく、しばらくすると押し入れにしまってしまいました。

三で自分の人生を割ってみる

ところが、自分が教師になり、子どもたちにうまく教えられないと混乱していた時期がありまして、その時ふとしたことからこの色紙が出てきたんです。

この言葉を見た瞬間、自分はいま地に足をつけて教師という仕事に取り組んでいるか、いまやらなければいけないことから逃げてはいなかったかと強く自問《じもん》しました。

私にとってはこの色紙との再会が「二度目の誕生日」であったなと思います。それからはずっと壁に掲《かか》げて、毎朝これを見てから学校に行くようにしています。

この色紙と再会したばかりの頃は、きょうの仕事を明日に延ばさないというような意味に捉《とら》えていましたが、現在は「いまに感謝して、いまを味わわなければダメだよ。明日や明後日《あさって》のことばかりを考えて、いまの自分を味わわなかったらダメだよ」と教えられているように感じてきました。

東井先生はよく「一生を一日として計算しなさい」ともおっしゃっていました。

仮に人生を七十二年として二十四時間にあてはめてみると、一時

第31話 一生を一日として計算しなさい

間は三年間にあたる。つまり三で自分の年齢を割ってみるとよいと。

私も担任している子どもたちにこの例を用いて、「君たちが十二歳なら朝の四時だ。東井先生は人間には五千通りの可能性があるとおっしゃったが、どんな自分になるか、それをつくっているのは〝いま〟だよ」と話をするんです。

一方で、いま私の年齢を三で割ると十六ですから、午後の四時にあたります。次第に人生の日が暮れかかっていく中で、その「いま」をどう味わっていくのかも問われていると思います。

第32話

人生二度なし

森《もり》信三《のぶぞう》《しんぞう》／哲学者

私は、愛知県の知多半島《ちたはんとう》の生まれですが、三歳の時に森家にもらわれました。そして正月の元日には、きまったように、八キロくらい離れた祖父のところへ、新年のあいさつに行くことになっていました。

ちょうど皆さんと同じ六年生の正月、養父に連れられてあいさつに行きました。当時祖父は、愛知県の県会議長をしていました。もうかなりの年で、白いひげをはやしていました。私が「明けましておめでとうございます」と父とともにあいさつしたら、「お前は今年いくつになったか」と聞かれたので、私は「はい、十三（数え年）になりました」と答えました。すると祖父は「そうか、十三と

第32話　人生二度なし

いう年は非常に大事な年だが知っているか」といいました。私は、そんなことなんか知りませんので、「知りません」といったら、祖父はかたわらの硯《すずり》で墨をすって、巻紙にサラサラと字を書きました。

それは、あとで教わったのですが、頼山陽《らいさんよう》の詩でした。これは徳川時代の三百年のうちで一番有名な詩人です。ところがそれは、この人が数え年十三の時につくった詩で、漢字ばかりなので私には読めないのです。そこで祖父は読み方を教えてくれ、意味も簡単に教えてくれました。五十五年たったいまでも、私はこれを暗誦《あんしょう》できます。

「十有三春秋　行くものはすでに水の如し　天地始終なく　人生生死あり　いずくんぞ古人に類して　千載青史《せんざいせいし》に列することをえんや」。

こういう詩です。皆さんにこれをわかりやすくいうと、次のような意味です。

「ああ、いつの間にやらもう十三になってしまった。ボヤボヤしてはおられぬ。時は流水《りゅうすい》のように刻々と過ぎ去っていくが、宇宙にははじめもなくおわりもない。しかし人間の一生には生死があって、短いものである。どうしたら、昔のえらい人とならんで、歴史にその名の残るような人間になれるであろうか」
という意味の詩です。

どうです皆さん‼　大した詩でしょう。私は、ガーンとくらいましたね。なぜ、ガーンときたかというと、自分と同じ年に、頼山陽という詩人は、もうこれだけ大した志を立て、これほどの決心をしているのです。私にはその時のようすが、いまでも一週間くらい前のことのようにあざやかに、頭の中に残っています。祖父の白いひげ、凜《りん》と座っているようす、知多半島《ちたはんとう》の丘の松林、部屋から見える衣浦《きぬうら》港の白い帆、海の青さ、松の緑とともに……。

その時まかれた種が、※爾来《じらい》五十五年たって、私の体の中で相当の

第32話　人生二度なし

大木になっているのです。そしてその木にたくさんの実がなりだしたから、その実を皆さん方におすそわけしているわけです。日本中の五年生の人に、一人でも多くこの私の中になっている見えない実を、わけてあげたいのです。その種はどういう種かというと、「人生二度なし」という種です。人間の一生は、やり直すわけにはいかぬから、できるだけ早くから決心して、一生をつらぬく人になって欲しいということです。

※爾来：それからのち。それ以来。

第33話

人生のテーマ

藤《ふじ》尾《お》秀《ひで》昭《あき》／『致知』主幹

悲しさこそが美しい

忘れられない詩がある。十五歳の重度脳性《のうせい》マヒの少年が、その短い生涯《しょうがい》の中でたった一篇、命を絞《しぼ》るようにして書き残した詩である。

ごめんなさいね　おかあさん
ごめんなさいね　おかあさん
ぼくが生まれて　ごめんなさい
ぼくを背負う　かあさんの

第33話　人生のテーマ

細いうなじに　ぼくはいう
ぼくさえ　生まれなかったら
かあさんの　しらがもなかったろうね
大きくなった　このぼくを
背負って歩く　悲しさも
「かたわな子だね」とふりかえる
つめたい視線に　泣くことも

ぼくさえ　生まれなかったら

ありがとう　おかあさん
ありがとう　おかあさん
おかあさんが　いるかぎり
ぼくは生きていくのです

脳性マヒを　生きていく
やさしさこそが　大切で
悲しさこそが　美しい

そんな　人の生き方を
教えてくれた　おかあさん
おかあさん
あなたがそこに　いるかぎり

生涯を懸けてうたいあげた詩

『致知』二〇〇二年九月号で向野幾世《こうのいくよ》さんが紹介した詩である。

作者は山田康文《やすふみ》くん。生まれた時から全身が不自由、口も利《き》けない。通称やっちゃん。そのやっちゃんを養護《ようご》学校の先生であった向野さんが抱きしめ、彼の言葉を全身で聞く。向野さんがいう言葉がやっちゃんのいいたい言葉だったら、やっちゃんがウインクでイエ

第33話　人生のテーマ

スのサイン。ノーの時は舌を出す。気の遠くなるような作業を経《へ》て、この詩は生まれた。そしてその二か月後、少年は亡くなった。

自分を生み育ててくれた母親に報《むく》いたい。その思いがこの少年の人生のテーマだったといえる。短い生涯ながら少年は見事にそのテーマを生ききり、それを一篇の詩に結晶《けっしょう》させて、逝《い》った。生前、ひと言の言葉も発し得なかった少年が、生涯を懸《か》けてうたいあげた命の絶唱《ぜっしょう》。この詩が私たちに突きつけてくるものは重い。

人は皆、一個の天真《てんしん》を宿《やど》してこの世に生まれてくる、という。その一個の天真を深く掘り下げ、高め、仕上げていくことこそ、各人《かくじん》が果たすべき人生のテーマといえるのではないか。

「我行精進《がぎょうしょうじん》、忍終不悔《にんじゅうふげ》」――わが行《ぎょう》は精進して忍《しの》んで終《つい》に悔《く》いない。『大無量壽経《だいむりょうじゅきょう》』の言葉である。永遠の人生のテーマがここにある。

第34話

仕事にも人生にも締め切りがある

道場《みちば》六三郎《ろくさぶろう》／銀座ろくさん亭主人

早く、きれいに、人の倍働く

修業時代、いつも僕は思っていた。

「人の二倍は働こう」「人が三年かかって覚える仕事を一年で身につけよう」ってね。

下積みの期間をできるだけ短くして、早く一人前の仕事がしたかったから。そのためには、できるだけ手を早く動かして、仕事量をこなさなければいけない。

だから修業時代からずっと「早く、きれいに」を念じながら、仕事をしてきたんだよ。

念じていると、いろいろと工夫が出てくるんです。

駆け出しのころはこんなことをしていました。ネギを切るとき、人が二本持って切っていたら、僕は三本やる。それができたら、四本、五本で挑戦してみる。さらに違う野菜でもやってみる。

そうすると仕事が早く片づくだけでなく、「きょうは一本多く切れるようになった」と励みになるんですね。

それはささやかな前進にすぎないかもしれないけれど、それが仕事の楽しみや喜びにもなりました。

細かい部分まで効率的に

スピードアップだけでは、人の二倍の仕事をすることはできません。効率よく働くためには段取りが大切です。冷蔵庫の使い方一つにしても、工夫次第で仕事に差が出ます。

できる料理人なら冷蔵庫を開けなくても、どこに何が入っているかわかっているもんです。すべて暗記しろというんじゃない。冷蔵庫の中を仕切って、どこに何が入っているかメモをとり、扉に張っておく。そうすると、指示されたときにすぐ取り出せるし、庫内の温度も上がりません。

「冷蔵庫の開け閉めなんて些細《ささい》なことだ」と思うようでは、一流の料理人にはなれませんね。

そういう細かい部分にまで意識が回り、先の先を読むくらいに頭を働かせないと、少しぐらい料理の腕があっても大成しないですよ。

仕事にも人生にも締め切りがあります。

それに間に合わせるためには、時間を無駄にせず何事もテキパキとこなさいと。これはどの仕事にも言えるんじゃないかなあ。

第35話

積極的プラス思考型人間になれ

国分秀男《こくぶんひでお》／東北福祉大学特任教授・元古川商業高等学校女子バレーボール部監督

人間は三つのタイプに分かれる

合計七十七回全国大会に出場して、十二回全国制覇（全国私学大会を含む）しました。しかし、それは裏を返せば優勝したのは十二回だけで、あとの六十五回は全部負けたとも言えます。

勝てば勝ったで、好むと好まざるとに拘《かかわ》らず敵が増え、いいようもないわびしさや孤独感と闘わなければなりません。

人は成功した部分だけを見て他人を羨《うらや》んだりしますが、その陰には何十倍、何百倍もの苦しみがあるものです。

長い人生、誰もが苦しい場面に遭遇《そうぐう》する時があります。しかし、それをどう受け止めるかが大事です。

これまでたくさんの人を見てきましたが、概《おおむ》ね三つのタイプに分かれると思います。一つは苦しくなると「もうダメだ、無理だ」と思う「絶望諦め型」。

二つ目は「嫌だけど、しょうがないからやるか」という「消極的納得型」。

そして三つ目は「この苦しみが俺を磨いてくれる。これを乗り越えれば一つ賢くなれる」と考える「積極的プラス思考型」。

人生を開発していく基本

結局、歴史に名を残すような偉人や成功者は、三番目の人間からしか生まれません。

一、二、三のどのタイプの人間になるかは考え方一つです。お金がかかるわけじゃない、努力がいるわけでもない。時間もかからない。物事の見方をちょっと変えるだけでいい。

第35話　積極的プラス思考型人間になれ

しかし、人はなかなかその考え方を変えることができません。だから偉人の話を聞き、良書を読むのです。過去に事を成し遂げた人たちがどうやって困難を乗り越えてきたか、それに触れることで考え方を変えることができると思います。

私は辛《つら》い時はいつも「俺よりももっと苦しい目に遭って頑張った人がいたじゃないか。あの人ができたんだから、俺だって乗り越えられる」と言い聞かせ、夢に食らいついてきました。

この世で我慢の時なくして夢を実現した人は一人もいません。夢を追うなら、わが身に降りかかるすべてを積極的プラス思考で受け止め、簡単に諦めないこと。それが人生を開発していく基本ではないかと思います。

第36話

偉い人間にならなくていい、立派な人間になれ

ガッツ石松《いしまつ》／元WBC世界ライト級チャンピオン

俺みたいなやつにチャンスはないんだ……

俺だって本当は高校に行きたかったけど、そんな余裕がある家庭じゃないからね。じゃあ、何も持たない自分が這《は》い上がるにはどうすればいいか。体一つで戦えるボクシングしかないと思った。

とりあえず近所の人の紹介で東京の会社に就職しました。入社してすぐ、会社のみんなで元フライ&バンタム級で世界チャンピオンのファイティング原田さんの試合中継を見ていた。その時、俺は社長さんに「俺もボクサーになりたいから、ボクシングジムに通わせてください」と申し出た。すると社長さんは、「おまえみたいな人

第36話　偉い人間にならなくていい、立派な人間になれ

間が、あんな偉い人間になれるわけがない」と言ったね。

まだ十五だよ。ショックだったね。ああ、東京も田舎も一緒だ。俺みたいなやつにチャンスはないんだ、と思って、すぐに会社を辞めて田舎に戻った。村の人たちに見つかると「あそこの息子、もう仕事をやめて帰ってきた」と噂されるから、真夜中にひっそりと帰って、昼間、誰にも見られないようにふるさとを歩いたんだ。山、川、田んぼ、畑……。ふるさとの自然に抱かれているうち、「よし、俺はやっぱり東京へ行く」という思いが湧いてきた。

泥のついた千円札

もう一回上京する日、おふくろはいつも通り朝早くに土方《どかた》仕事へ出て行った。帰ってきた数日間も、忙しくてろくに話もできなかったから、駅に向かう途中に仕事場に立ち寄ってみたんだね。

「もう一回東京へ行ってくるぞ」と言うと、おふくろは泥だらけの手で前掛けのポケットをゴソゴソやって、一枚の千円札をくれたん

だ。俺がいつも悪さばかりしていたから、「サツ（札）はサツでも、警察のサツは使えねえぞ」と言ってね。

　そして、ハラハラと涙をこぼしたかと思うと、

「偉い人間になんかならなくていい。立派な人間になれ」

と言った。うちのおふくろさんは学歴はないけど、やっぱり苦労を重ねて生きてきた人だから言葉に力があったよね。すっと心に沁《し》みて、それはいまも忘れない。

　結局、その時もらった泥のついた千円札はずっと使えなくて、いまでも大切に持っていますよ。

第37話

努力の上の辛抱という棒を立てろ

桂《かつら》 小金治《こきんじ》／タレント

一念発起は誰でもする

十歳の頃、僕にとって忘れられない出来事があります。

ある日、友達の家に行ったらハーモニカがあって、吹いてみたらすごく上手に演奏できたんです。無理だと知りつつも、家に帰ってハーモニカを買ってくれと親父にせがんでみた。

すると親父は、「いい音ならこれで出せ」と神棚の榊《さかき》の葉を一枚取って、それで「ふるさと」を吹いたんです。あまりの音色のよさに僕は思わず聞き惚《ほ》れてしまった。

もちろん、親父は吹き方など教えてはくれません。

「俺にできておまえにできないわけがない」。

そう言われて学校の行き帰り、葉っぱをむしっては一人で草笛《くさぶえ》を練習しました。だけど、どんなに頑張ってみても一向に音は出ない。諦《あきら》めて数日でやめてしまいました。

これを知った親父がある日、

「おまえ悔しくないのか。俺は吹けるがおまえは吹けない。おまえは俺に負けたんだぞ」

と僕を一喝《いっかつ》しました。続けて、

「一念発起は誰でもする。実行、努力まではみんなする。そこでやめたらドングリの背比べで終わりなんだ。一歩抜きん出るには努力の上の辛抱という棒を立てるんだよ。この棒に花が咲くんだ」

と。その言葉に触発されて僕は来る日も来る日も練習を続けました。そうやって何とかメロディーが奏でられるようになったんです。

第37話　努力の上の辛抱という棒を立てろ

自分一人の手柄と思うな

草笛が吹けるようになった日、さっそく親父の前で披露しました。得意満面《まんめん》の僕を見て親父は言いました。

「偉そうな顔するなよ。何か一つのことができるようになった時、自分一人の手柄と思うな。世間の皆様のお力添えと感謝しなさい。錐《きり》だってそうじゃないか。片手で錐は揉《も》めぬ」。

努力することに加えて、人様への感謝の気持ちが生きていく上でどれだけ大切かということを、この時、親父に気づかせてもらったんです。

翌朝、目を覚ましたら枕元に新聞紙に包んだ細長いものがある。開けてみたらハーモニカでした。喜び勇んで親父のところに駆けつけると、

「努力の上の辛抱を立てたんだろう。花が咲くのは当たりめえだよ」。

子ども心にこんなに嬉しい言葉はありません。あまりに嬉しいものだから、お袋にも話したんです。するとお袋は、

「ハーモニカは三日も前に買ってあったんだよ。お父ちゃんが言っていた。あの子はきっと草笛が吹けるようになるからってね」。

僕の目から大粒の涙が流れ落ちました。いまでもこの時の心の震えるような感動は、色あせることなく心に鮮明に焼きついています。

第38話

昨日の敵は今日の友

篠沢秀夫《しのざわひでお》／学習院大学名誉教授

最愛の妻との別れ

中学からフランス研究を志した私は、大学と大学院を通じてフランス文学を学び、仏政府給費留学試験を受けてパリ大学への留学が決まりました。大学院修了後すぐに結婚した妻の宏子とともに、新婚旅行のように訪れた初めてのフランス。二十代の後半を過ごしたパリでの生活はしかし、振り返るのも辛《つら》いものとなったのです。

昭和三十七年の夏、休暇を利用してローマに行く旅路でのことでした。ブルゴーニュ地方の入り口、サンスの町を抜けたところで、私の運転していた車が事故を起こしたのです。

　同乗していた妻は即死でした。事故の原因については語ることができません。ショックによる逆行性健忘症《ぎゃっこうせいけんぼうしょう》というらしく、現場の遥《はる》か手前を走っている記憶しかないのです。私は腸が破裂《はれつ》して開腹手術を受け、一か月の入院の後、ただちに留学生活を打ち切って日本に帰国しました。事故の衝撃はあまりにも大きく、数年間はこのことについて話題にすることすらできませんでした。


　帰国して三年後に結婚したのが、いまの妻の礼子です。礼子は私のことを「辛い目に遭ったのに、朗《ほが》らかで偉いと思った」と言い、宏子との間に生まれた四歳の息子の玄《げん》を引き取って育ててくれました。

　礼子と結婚してからの十年間は、新妻を愛し、玄を護り、二人の息子をもうけ、自分の生活の土台を築くことに中心がありました。それが宏子の死を乗り越えることになったのです。

第38話　昨日の敵は今日の友

人生は戦いだ

玄はすらりとした美しい少年に育ちました。昭和五十年、十五歳の誕生日を十月に控えた玄は、バスケットボール部の合宿で九十九里浜に向かいました。八月の海は波が高いと思い、出立前に「海には入るなよ」と注意しました。それが最後の別れとなるとは想像もせずに。

「ちょっとだけ」と先生にせがんで海に入った生徒たち全員が高波にのまれ、玄だけ行方不明となってしまった——。その報《しら》せを受けて現場に駆けつけると、土地の人が火のついた線香《せんこう》の束を砂浜に何本も立てていました。「お父さん、どうぞ」と差し出された一本を受け取ることはできませんでした。まだ希望を失いたくなかったのです。

数日待機した後、玄の遺体はやっと九十九里浜の波打ち際に上がりました。波音の響く古寺で夜を明かし、玄の棺桶《かんおけ》の蓋《ふた》の上で死亡証明書に記入しながら、あたかも戦争の前線にいるような気がしてなりませんでした。戦場においては、戦死者数を調べ、生存者数を確認し、前進すると聞きます。「人生は戦いだ」との凄《すさ》まじいまでの実感が押し寄せました。

玄の死について、十年間は個人的な場でも触れることができませんでした。それが、自分が六十を越える頃からは、語ることが供養《くよう》と感じられるようになりました。

「昨日の敵は今日の友」。

それまで戦ってきた悲しみを、友とできるようになったのです。

第四章

心を育む

第39話

教室中の親子が涙した最後の授業

大畑誠也《おおはたせいや》／九州ルーテル学院大学客員教授

教育の究極の目的

私が考える教育の究極の目的は「親に感謝、親を大切にする」です。高校生の多くはいままで自分一人の力で生きてきたように思っている。親が苦労して育ててくれたことを知らないんです。

これは天草東高《あまくさ》時代から継続して行ったことですが、このことを教えるのに一番ふさわしい機会として、私は卒業式の日を選びました。式の後、三年生と保護者を全員視聴覚室に集めて、私が最後の授業をするんです。

そのためにはまず形から整えなくちゃいかんということで、後ろ

第39話　教室中の親子が涙した最後の授業

に立っている保護者を生徒の席に座らせ、生徒をその横に正座させる。そして全員に目を瞑《つぶ》らせてからこう話を切り出します。

「いままで、お父さん、お母さんにいろんなことをしてもらったり、心配をかけたりしただろう。それを思い出してみろ。交通事故に遭《あ》って入院した者もいれば、親子喧嘩《げんか》をしたり、こんな飯は食えんとお母さんの弁当に文句を言った者もおる……」。そういう話をしているうちに涙を流す者が出てきます。

「おまえたちを高校へ行かせるために、ご両親は一所懸命働いて、その金ばたくさん使いなさったぞ。そういうことを考えたことがあったか。学校の先生にお世話になりましたと言う前に、まず親に感謝しろ」。

そして「心の底から親に迷惑を掛けた、苦労を掛けたと思う者は、いま、お父さんお母さんが隣におられるから、その手ば握ってみろ」と言うわけです。

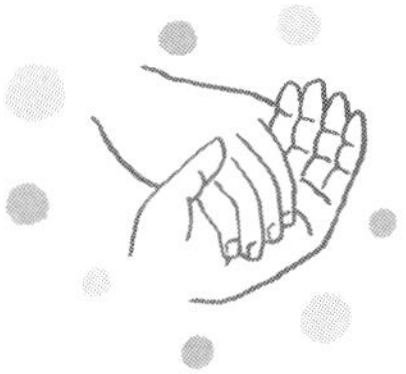

あちこちから聞こえてくる嗚咽

すると一人、二人と繋《つな》いでいって、最後には全員が手を繋ぐ。私はそれを確認した上で、こう声を張り上げます。

「その手がねぇ！　十八年間おまえたちを育ててきた手だ。分かるか。……親の手をね、これまで握ったことがあったか？　おまえたちが生まれた頃は、柔らかい手をしておられた。いま、ゴツゴツとした手をしておられるのは、おまえたちを育てるために大変な苦労をしてこられたからたい。それを忘れるな」。

その上でさらに「十八年間振り返って、親に本当にすまんかった、心から感謝すると思う者は、いま一度強く手を握れ」と言うと、あちこちから嗚咽《おえつ》が聞こえてくる。

私は「よし、目を開けろ。分かったや？　私が教えたかったのはここたい。親に感謝、親を大切にする授業、終わり」と言って部屋を出ていく。振り返ると親と子が抱き合って涙を流しているんです。

第40話

見返りを求めぬ母の愛

星《ほし》野《の》富《とみ》弘《ひろ》／詩画作家

爆発してしまった苛立ち

神様がたった一度だけ
この腕を動かして下さるとしたら
母の肩をたたかせてもらおう
風に揺れる
ぺんぺん草の実を見ていたら
そんな日が
本当に来るような気がした
（なずな）

母がいなければ、いまの私はなかったと思うのです。特に九年間の病院生活は母なしでは考えられません。

こんなことがありました。食事は三度三度口に入れてもらっていたんですが、たまたま母の手元が震えてスプーンの汁を私の顔にこぼしてしまったのです。このわずかなことで積もり積もっていた私のいらいらが爆発してしまった。口の中のご飯粒を母の顔に向け、吐き出し、「チクショウ。もう食わねえ、くそばばあ。おれなんかどうなったっていいんだ、産んでくれなけりゃよかったんだ」とやってしまった。母は泣いていましたよ。よほど悔しかったのか、しばらく口をききませんでした。

見過ごすことができなかったハエ

ところが、ハエがうるさく顔の上を飛び回り、いくら顔を振っても離れてはすぐに私の顔にたかる。だまりこくっていた母もたまりかね、私の顔にたかっているハエをたたこうとしたんです。そして、たたくというより押さえた。ハエは逃げてしまいましたが、母のしめった手のぬくもり、ざらついてはいましたが、柔らかな手の感触を感じたのです。この時ですね、母親の愛を知ったのは。母はどんなに私を憎んでいても、私の顔につきまとうハエを見過ごすことができなかった。

第40話 見返りを求めぬ母の愛

母親は誰にとっても共通のものがありますね。やっぱり母親、父親もそうだと思うんですが、子供に対して見返りを求めない愛情があります。だから私たちはやすらぎを感じるのではないですか。

私が入院する前の母は、昼は畑に四つんばいになって土をかきまわし、夜は薄暗い電灯の下で金がないと泣き言をいいながら内職をしていた、私にとってあまり魅力のない母でした。もし私がけがをしなければ、この愛に満ちた母に気づくことはなかったでしょう。母を薄汚れた一人の百姓の女としてしかみられないままに、一生を高慢な気持ちで過ごしてしまう、不幸な人間になっていたかもしれません。

第41話

鬼と化した母の愛に救われて

西村《にしむら》 滋《しげる》／作家

僕をいじめ抜いた母

僕は幼少期に両親を結核で亡くしているんですが、まず母が六歳の時に亡くなりました。物心がついた時から、なぜか僕を邪険《じゃけん》にして邪険にして、嫌なお母さんだったんですよ。散々いじめ抜かれて、憎まざるを得ないような母親でした。

これは後で知ったことですが、母は僕に菌《きん》をうつしちゃいけない、そばへ寄せつけちゃいけない、という思いでいたようです。本当は入院しなきゃいけない身なんですが、そうなれば面会にも来させら

第41話　鬼と化した母の愛に救われて

れないだろう。そこで母は、どうせ自分は死ぬのだから、せめてこの家のどこかに置いてほしいと父に頼み込み、離れを建ててもらったそうです。

僕はそこに母がいることを知っているものですから、喜んで会いにいく。するとありったけの罵声《ばせい》を浴びせられ、物を投げつけられる。本当に悲しい思いをして、だんだんと母を憎むようになりました。母としては非常に辛《つら》い思いをしたんだと思いますよ。

それと、家には家政婦《かせいふ》がいましてね。僕が幼稚園から帰ってくると、なぜか裏庭に連れていかれて歌を歌わされるんです。「きょうはどんな歌を習ってきたの？」と聞かれ、いくつか歌っていると「もっと大きな声で歌いなさい」なんてうるさく言うから嫌になったんですがね。これも母が僕の歌を聞きながら、成長していく様子を毎日楽しみにしていたのだと後になって知りました。

家政婦さんとの約束

僕はそんなことを知る由《よし》もありませんから、母と死に別れた時もちっとも悲しくないわけね。

でも母はわざとそうしていた。病気をうつさないためだけじゃない。幼い子が母親に死なれて泣くのは、優しく愛された記憶があるからだ。憎らしい母なら死んでも悲しまないだろう。また、父も若かったため、新しい母親が来るはずだと考えたんでしょうね。継母《ままはは》に愛されるためには、実の母親のことなど憎ませておいたほうがいい、と。それを聞かされた時は非常にびっくりしましたね。

孤児院《こじいん》を転々としながら非行《ひこう》を繰り返し、愛知の少年院に入っていた十三歳の時でした。ある時、家政婦だったおばさんが、僕がグレたという噂《うわさ》を聞いて駆けつけてくれたんです。母からは二十歳になるまではと口止めされていたそうですが、そのおばさんも胃がんを患い、生きているうちに本当のことを伝えておきたいと、この話

第41話　鬼と化した母の愛に救われて

をしてくれたんですね。

僕はこの十三歳の時にようやく立ち直った、と言っていいかな。あぁ、俺は母に愛されていた子なんだ、そういう形で愛されていたんだということが分かって、とめどなく涙が溢れてきました。

第42話

死んでも構ん、踊りたい

堀内志保《ほりうちしほ》／元がんの子供を守る会高知支部代表

娘が口にした言葉

私の娘・詩織は自分が悪性のがんであり、しかも生存率が低いということを知っています。

それは告知をしたというよりも、私自身がとにかく病気に関する情報を得たいと様々な学会などに顔を出していたことから、いつの頃からか自然と気づいていたようでした。もちろん、本人もすべてを受け入れているわけではなく、体調に異変があれば「自分も死ぬんじゃないか」と不安を顕《あらわ》にすることはあります。

第42話　死んでも構ん、踊りたい

しかし、「あなたは大丈夫。何があっても私が守るから」と抱きしめながら、今日まで歩んできました。そんな詩織が地元高知でも有名なよさこいチームである「ほにや」に入ったのは、七歳の時です。激しい運動は禁止、体育の授業も見学と先生に言い渡されていたのですが、入院している時から「よさこいを踊りたい、踊りたい」と言っていたのです。

五月五日のこどもの日に「ほにや」さんが子供たちに「正調《せいちょう》よさこい」を踊らせる企画があると聞きました。正調よさこいは、昔ながらの振り付けで、動きも激しくありません。数日後、詩織は「ママ、ほにやのチームに入って踊りたい」と言い出しました。「ほにや」は「よさこい」祭りで毎年賞を取り続けているチームです。しかも正調よさこいとは違ってかなり激しい振り付けです。

もし真夏のよさこい祭りで踊ったりしたら炎天下の中、かなり体力を消耗することになりかねません。「そんなことしたら、あんた死ぬかもしれんで」。思わず口をついて出た言葉でした。しかし詩織はまっすぐ私を見返してこう言ったのです。

「死んでも構ん、踊りたい」

一瞬、言葉を失いました。わずか七歳の娘が死んでもいいから踊りたいと言う、その意志の強さに驚いたのです。そして、あの日心に決めたことを思い出しました。「そうだ、詩織の望むすべてのことをさせてあげると決めたんだ」。私は「ほにや」さんに入会を頼みに行きました。

七歳で迎えたよさこい祭り

県内屈指の人気チームですから、受かるとは思っていなかったので病気のことは伏せて申し込みました。しかし合格したからには黙っているわけにはいきません。社長さんに「踊っている途中で道端で倒れてもいいから、やらせてあげてください」とお願いしました。

スタッフの皆さんは事情を知った上で詩織を温かく迎えてくれま

第42話 死んでも構ん、踊りたい

した。もちろん踊りに関しては一切特別扱いはありません。しかし、詩織は親の私も驚くほどの負けず嫌い。練習後、帰宅してからも家の窓ガラスを鏡代わりに自主練習を続け、次に「ほにゃ」の練習に参加する時までにはできるようになっているのです。

そうして七歳で迎えたよさこい祭り、詩織は「ほにゃ」の踊り子として参加しました。大人から子供までチームに登録している中から選抜された百五十名に入ったのです。

一番のメインストリートである追手筋《おうてすじ》に入ってきた詩織の姿を見た時は号泣しました。それまではいつも、どこでも「いつ死ぬか、いつ再発するか」と病気のことばかり考えてきました。しかしいま詩織がこの大歓声の中で楽しそうに笑って踊っている。それは詩織の命が精いっぱいの輝きを放っているように見えました。

※堀内詩織さんは二十四歳（二〇二四年三月現在）になられたいまも元気に活動されています。

第43話

お母さんの力

東井《とうい》義雄《よしお》／教育者

原子爆弾が落ちた日に

長崎に、原子爆弾が落ちました時、当時、十歳であった荻野美智子ちゃんの作文。

雲もなく、からりと晴れたその日であった。私たち兄弟は、家の二階で、ままごとをして遊んでいた。その時、ピカリと稲妻が走った。

あっというた時にはもう家の下敷きになって、身動き一つできなかった。

（大きいお姉さんが水兵さんを呼んできて、美智子さんは救出され

第43話 お母さんの力

ました。しかし……。)

その時、また向こうのほうで、小さな子の泣き声が洩《も》れてきた。それは二つになる妹が、家の下敷きになっているのであった。急いで行ってみると、妹は大きな梁《はり》に足を挟《はさ》まれて、泣き狂っている。四、五人の水兵《すいへい》さんが、みんな力を合わせて、それを取りのけようとしたが、梁は四本つづきの大きなものでびくともしない。水兵さんたちは、もうこれはダメだと言い出した。よその人たちが水兵さんたちの加勢を頼みに来たので、水兵さんたちは向こうへ走って行ってしまった。お母さんは、何をまごまごしているのだろう、早く早く帰ってきてください。妹の足がちぎれてしまうのに……。

その時、向こうから矢のように走ってくる人が目についた。頭の髪の毛が乱れている。

女の人だ。裸らしい。むらさきの体。大きな声を掛けて、私たちに呼びかけた。ああ、それがお母さんでした。

体中が大火傷になり……

「お母ちゃん」

私たちも大声で呼んだ。あちこちで火の手があがり始めた。火がすぐ近くで燃えあがった。お母さんの顔が真っ青に変わった。お母さんは小さい妹を見下ろしている。妹の小さい目が下から見上げている。お母さんは、ずっと目を動かして、梁の重なり方をみまわした。

やがてわずかな隙間に身をいれ、一か所を右肩にあて、下くちびるをうんとかみしめると、ううう—と全身に力を込めた。パリパリと音がして、梁が浮きあがった。妹の足がはずれた。大きい姉さんが妹をすぐ引き出した。

お母さんも飛び上がって来た。そして、妹を胸にかたく抱きしめた。

しばらくしてから思い出したように私たちは、大声をあげて泣き始めた……。

第43話　お母さんの力

お母さんは、なすをもいでいる時、爆弾にやられたのだ。もんぺも焼き切れ、ちぎれ飛び、ほとんど裸になっていた。髪の毛はパーマネントウエーブをかけすぎたように赤く縮れていた。体中の皮は大火傷《やけど》で、じゅるじゅるになっていた。さっき梁を担いで押し上げた右肩のところだけ皮がべろりと剝《は》げて、肉が現れ、赤い血がしきりににじみ出ていた。お母さんはぐったりとなって倒れた。お母さんは苦しみはじめ、悶《もだ》え悶えてその晩死にました。

これは、特別力持ちのお母さんだったのでしょうか。四人も五人もの水兵さんが、力を合わせてもびくともしないものを動かす、力持ちのお母さんだったのでしょうか。皆さんのお母さんも皆さんがこうなったらこうせずにはおれない。しかもこの力が出てくださるのが、お母さんという方なんです。

第44話

「お母さん」という言葉の由来

境《さかい》野《の》勝悟《かつのり》／東洋思想家

なぜ「おかみさん」と呼ぶのか？

小学生時代、「ただいま」と家に帰ってお母さんがいるときは僕はいつでも「お母さん、何かないの？」と聞きました。すると、母は「おまえは人の顔さえ見れば食べ物のことばっかり言って、食いしん坊だね。そこに、ほら、芋があるよ」って言う。そういうときは決まって、きのうふかしたさつま芋が目ざるの中に入っていました。

かかっているふきんを取ると、芋はいつもひゃーッと冷たいんです。だけれども、お母さんのそばで食う芋は不思議にあたたかかっ

第44話 「お母さん」という言葉の由来

た。これは、もしかすると女性には理解できないかもしれないけれども、男性にはわかってもらえると思います。お母さんや妻が家にいると黙っていても明るいのです。あたたかいのです。それで、わたくしたち男は自分の妻に対して、「日身（カミ）」に「さん」をつけて「日身（カミ）さん」と言ったんです。丁寧《ていねい》なところでは、これに「お」をつけて「お日身（カミ）さん」といったんですよ。

何でしょうか。この「日身（カミ）」という意味は？

実は、「カミ」の「カ」は古い言葉では「カカ」といいました。もっと古い言葉では「カアカア」といった。

さらに古い言葉では「カッカッ」といったんです。「カカ」「カアカア」「カッカッ」。これがだんだん「カ」の一音《いちおん》となるんですね。「ミ」というのは「身」で、わたくしたちの身体という意味です。ですから、「日身（カミ）」となると、わたくしたちの身体は「カカ」の身体である、「カアカア」の身体である、「カ」の身体であるという意味だったのです。

母親は太陽そのもの

　では、「カカ」「カアカア」「カッカッ」という音は、古代では一体何を意味したのでしょうか。「カッカッ」というのは、太陽がカッカッと燃えている様子を表す擬態語《ぎたいご》（見た感じを言葉にする）でした。

「カッカッ」とは、実は太陽のことを指したのですね。「カアカア」「カカ」という音も同様です。つまり、わたくしたちの体、わたくしたちの命は太陽の命の身体であるということを、「日・身（カミ）」（太陽の身体）といったんです。「カミ」の「カ」に「日」という漢字が当てられているのを見れば、「カ」が太陽のことを意味しているということがよくわかるでしょう。

「日身（カミ）」とは、太陽の体、太陽の身体という意味だったのです。さてそこでお母さんはいつも明るくて、あたたかくて、しかも朝、昼、晩、と食事をつくってくださって、わたくしたちの生命

第44話 「お母さん」という言葉の由来

を育ててくださいます。わたくしたちの身体を産んでくださいます。母親というのはわたくしたちを産み、その上わたくしたちを育ててくれます。母親は太陽さんのような恵みの力によってわたくしたちを世話してくれる。

母親のありがたさはまさに太陽さんそっくりそのものだということから、母親のことをむかしは「お日身（カミ）さん」といったのです。

子供たちも、この古い言葉の「カカ」をとって、「カカさま」といった。この「カカ」の「カ」が残って、「おカあさん」になったのです。「おカあさん」の「カ」は、太陽の「カ」だったのです。

母のことを、大人の人は「カミさん」、子供たちは「おカあさん」と太陽さんのように尊敬し親しみながら、思いやりの深い、明るい温かい日本人が育ってきたのです。

第45話

「人」という字を刻んだ息子

秋丸由美子《あきまるゆみこ》／明月堂教育室長

ヒット商品誕生の裏側に

関東・関西の菓子業界を主人と行脚《あんぎゃ》していて、忘れられないのが、神戸のある洋菓子店に飛び込んだ時のことです。そのオーナーさんは忙しい中、一時間ほどを割《さ》いてご自身の生き方や経営観を話してくださったのです。

誰にも相手にされない状態が長く続いていただけに、人の温かさが身に沁《し》みました。人の心を動かす、人を育てるとはこういうことなのかと思いました。

いま、私たちの長男がこのオーナーさんのもとで菓子作りの修業をさせていただいています。

全国行脚を終えた私たちは、社員の人格形成に力を入れる一方、それまで学んだことを商品開発に生かせないかと社長や製造部門に提案しました。そして全社挙げて開発に取り組み、苦心の末に誕生したのが、「博多通《はかたとお》りもん」という商品です。まったりとしながらも甘さを残さない味が人気を博し、やがて当社の主力商品となり、いまでは博多を代表する菓子として定着するまでになっています。

「天の時、地の利、人の和」といいますが、様々な人の知恵と協力のおかげでヒット商品の誕生に結びついたことを思うと、世の中の不思議を感ぜずにはいられません。

ところで、余命十年といわれていた主人はその後も元気で働き続け、私も一安心していました。しかし平成十五年、ついに肝不全で倒れてしまいました。

手術で一命は取り留めたものの、容態は悪化し昏睡《こんすい》に近い状態に陥《おちい》ったのです。

「この傷は君の勲章だぞ」

知人を通して肝臓移植の話を聞いたのは、そういう時でした。私の肝臓では適合しないと分かった時、名乗り出てくれたのは当時二十一歳の長男でした。手術には相当の危険と激痛が伴います。万一の際には、命を捨てる覚悟も必要です。私ですら尻込みしそうになったこの辛《つら》い移植手術を、長男は全《まった》く躊躇《ちゅうちょ》する様子もなく「僕は大丈夫です。父を助けてください」と受け入れたのです。この言葉を聞いて、私は大泣きしました。

手術前、長男はじっと天井《てんじょう》を眺めていました。自分の命を縮めてまでも父親を助けようとする息子の心に思いを馳《は》せながら、私は戦場に子どもを送り出すような、やり場のない気持ちを抑えることができませんでした。そして幸いにも手術は成功しました。長男のお腹には、七十八か所の小さな縫《ぬ》い目ができ、それを結ぶと、まるで「人」という字のようでした。

長男がお世話になっている神戸の洋菓子店のオーナーさんが見舞

第45話 「人」という字を刻んだ息子

いに来られた時、手術痕《あと》を見ながら「この人という字に人が寄ってくるよ。君は生きながらにして仏様を彫ってもらったんだ。お父さんだけでなく会社と社員と家族を助けた。この傷は君の勲章だぞ」とおっしゃいました。この一言で私はどれだけ救われたことでしょう。

　お腹の傷を自慢げに見せる息子を見ながら、私は「この子は私を超えた」と素直に思いました。と同時に主人の病気と息子の生き方を通して、私もまた大きく成長させてもらったと感謝の思いでいっぱいになったのです。

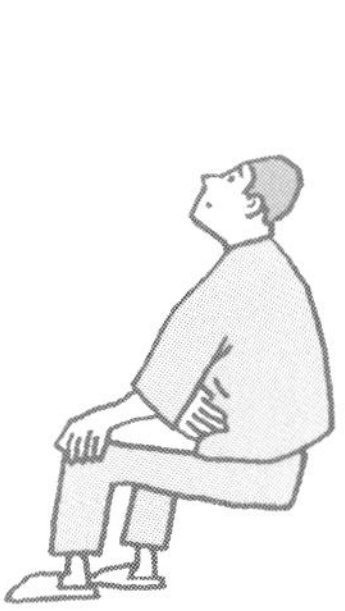

第46話

湯ぶねの教訓

二宮尊徳《にのみやそんとく》／農政家

湯の原理

仁《じん》というものは人道《じんどう》の極致《きょくち》であるが、儒者《じゅしゃ》の説明はやたらにむずかしいばかりで、役に立たない。身ぢかなたとえを引けば、この湯ぶねの湯のようなものだ。

これを手で自分の方へかき寄せれば、湯はこっちの方へ来るようだけれども、みんな向《むこ》うの方へ流れ帰ってしまう。これを向うの方へ押してみれば、湯は向うの方へ行くようだけれども、やはりこっちの方へ流れて帰る。すこし押せば少し帰り、強く押せば強く帰る。これが天理なのだ。

第46話　湯ぶねの教訓

仁といったり義《ぎ》といったりするのは、向うへ押すときの名前であって、手前にかき寄せれば不仁になり不義になるのだから、気をつけねばならない。

古語《こご》（『論語《ろんご》』、顔淵篇《がんえんへん》）に

「己《おのれ》に克《か》って礼に復《かえ》れば、天下仁に帰《き》す。仁をなす己による。人によらんや。」

とあるが、己というのは手が自分の方へ向くときの名前だ。礼というのはこの手を相手の方へ向けるときの名前だ。手を自分の方へ向けておいては、仁を説いても義の講釈をしても、何の役にも立たぬ。よく心得なければいけない。

譲るに益あり

いったい、人のからだの組立《くみたて》を見るがよい。人間の手は、自分の方へ向いて、自分のために便利にもできているが、また向うの方へも向いて、向うへ押せるようにもできている。これが人道の元なのだ。

鳥獣《ちょうじゅう》の手はこれと違って、ただ自分の方へ向いて、自分に便利なようにしかできていない。だからして、人と生れたからには、他人のために押す道がある。それを、わが身の方に手を向けて、自分のためにに取ることばかり一生懸命で、先の方に手を向けて他人のために押すことを忘れていたのでは、人であって人ではない。つまり鳥獣と同じことだ。なんと恥《はず》かしいことではないか。恥かしいばかりでなく、天理《てんり》にたがうものだからついには滅亡する。

だから私は常々、奪《うば》うに益《えき》なく譲《ゆず》るに益あり、譲るに益あり奪うに益なし、これが天理なのだと教えている。よくよくかみしめて、味わうがよい。

（現代語訳）

第47話

嫉妬しているうちは福は回ってこない

小出義雄《こいでよしお》／佐倉アスリート倶楽部社長

強くなる子の共通点

勧誘した子は強くならない。一銭もかけなかったのが強くなっている。要するに志《こころざし》の差ですよ。

一度面白いことがありました。Qちゃん（高橋尚子選手）の先輩に鈴木博美という選手がいたんですね。彼女は一九九七年のアテネ世界陸上で金メダルを取った実力のある選手です。

リクルート時代、僕はQちゃんにも鈴木にも「おまえは必ず世界一になる」と言っていたんです。まさか話をすり合わせるとは思っていなかったのですが、ある日鈴木がものすごい剣幕《けんまく》で僕のところ

に来て、「監督は私に世界一になると言っていたのに、Qちゃんにも同じことを言っていた」ってカンカンに怒っていた。
困っちゃってね、「いいか、よく聞けよ。おまえの世界一はぶっちぎりの世界一だ。Qちゃんは競《せ》り合って競り合って、やっと世界一になる。両方とも世界一だけど、おまえはぶっちぎって優勝するんだから、怒ることはないだろ」と言ってその場を収めたんですけれども。
実際、鈴木のほうが才能はあったんですよ。ただ、僕が何度マラソンをやるように水を向けても、「嫌です。あんな恐ろしく長い距離を走れませんよ。私は一万メートルでいいです」と言って受け入れなかった。

運は誰もが持っている

その後、鈴木はオリンピックの有森《ありもり》の活躍に刺激を受けてマラソンに転向したのですが、彼女がそう言い出すまで十年待ちました。

もしも、最初に勧めた時に鈴木が「はい」と言っていれば、たぶん

第47話　嫉妬しているうちは福は回ってこない

オリンピックで金メダルを二つ取っていたはずです。シドニーの金メダルも高橋ではなく鈴木だったと思っています。

たぶん、運というのは誰もが持っているんですよ。それに気づかないで逃している人が多いんですよ。

Qちゃんは素直だったし、明るかったし、何より嫉妬《しっと》しない子でした。本当は嫉妬していたのかもしれないけれど表に出さず、「有森さん、よかったですね」「鈴木さん、よかったですねぇ」と喜んで、「私も頑張ります！」と言うタイプでした。

だから僕はいつもうちの選手たちに口を酸《す》っぱくして言うんですけど、「自分だけ勝てばいいというのでは一流にはなれないよ」と。人間、嫉妬しているうちは本当の福は回ってこない。たとえライバルだとしても、人の喜びを「よかったね」と心から喜んであげて、「私も頑張るわ」と発奮《はっぷん》材料にできるような人じゃないと伸びないと思います。

第48話

どこまで人を許せるか

塩見志満子《しおみしまこ》／のらねこ学かん代表

込み上げてくる怒り

長男が白血病《はっけつびょう》のために小学二年生で亡くなりましたので、四人兄弟姉妹の末っ子の二男が三年生になった時、私たちは「ああこの子は大丈夫じゃや。お兄ちゃんのように死んだりはしない」と喜んでいたんです。

ところが、その二男もその年の夏にプールの時間に沈んで亡くなってしまった。長男が亡くなって八年後の同じ七月でした。

近くの高校に勤めていた私のもとに「はよう来てください」と連

第48話　どこまで人を許せるか

絡があって、タクシーで駆けつけたらもう亡くなっていました。子供たちが集まってきて「ごめんよ、おばちゃん、ごめんよ」と。「どうしたんや」と聞いたら十分の休み時間に誰かに背中を押されてコンクリートに頭をぶつけて、沈んでしまったと話してくれました。

母親は馬鹿《ばか》ですね。「押したのは誰だ。犯人を見つけるまでは、学校も友達も絶対に許さんぞ」という怒りが込み上げてくるんです。

「わしら二人が我慢しようや」

新聞社が来て、テレビ局が来て大騒ぎになった時、同じく高校の教師だった主人が大泣きしながら駆けつけてきました。そして、私を裏の倉庫に連れていって、こう話したんです。

「これは辛《つら》く悲しいことや。だけど見方を変えてみろ。犯人を見つけたら、その子の両親はこれから、過《あやま》ちとはいえ自分の子は友達を殺してしまった、という罪を背負って生きてかないかん。わしらは死んだ子をいつかは忘れることがあるけん、わしら二人が我慢しようや。うちの子が心臓麻痺《まひ》で死んだことにして、校医《こうい》の先生に心臓麻痺で死んだという診断書さえ書いてもろうたら、学校も友達も許してやれるやないか。そうしようや。そうしようや」。

私はビックリしてしもうて、この人は何を言うんやろかと。だけど、主人が何度も強くそう言うものだから、仕方がないと思いました。それで許したんです。友達も学校も……。

こんな時、男性は強いと思いましたね。でも、いま考えたらお父さんの言う通りでした。

争うてお金をもろうたり、裁判して勝ってそれが何になる……。許してあげてよかったなぁと思うのは、命日《めいにち》の七月二日に墓前《ぼぜん》に花がない年が一年もないんです。三十年も前の話なのに、毎年友達が花を手向《たむ》けてタワシで墓を磨いてくれている。

もし、私があの時学校を訴えていたら、お金はもらえてもこんな

第48話　どこまで人を許せるか

優しい人を育てることはできなかった。そういう人が生活する町にはできなかった。心からそう思います。

第49話

ゾウのはな子が心を許した人

山川宏治《やまかわこうじ》／東京都多摩動物公園主任飼育員

殺人ゾウと呼ばれて

武蔵野の面影を残す雑木林《ぞうきばやし》に囲まれた東京・井の頭《かしら》自然文化園に、今年（二〇〇七年）還暦《かんれき》を迎えるおばあちゃんゾウがいます。彼女の名前は「はな子」。私が生まれる以前の昭和二十四年に、戦後初めてのゾウとして日本にやってきました。当時まだ二歳半、体重も一トンにも満たない小さくかわいい彼女は、子どもたちの大歓声で迎えられました。遠い南の国、タイからやって来たはな子はたちまち上野動物園のアイドルとなりました。

第49話 ゾウのはな子が心を許した人

ところが、引っ越し先の井の頭自然文化園で、はな子は思いがけない事故を起こします。

深夜、酔ってゾウ舎に忍《しの》び込んだ男性を、その数年後には飼育員《しいくいん》を、踏み殺してしまったのです。「殺人ゾウ」――。皆からそう呼ばれるようになったはな子は、暗いゾウ舎に四つの足を鎖《くさり》で繋がれ、身動きひとつ取れなくなりました。餌《えさ》をほとんど口にしなくなり、背骨や肋骨《ろっこつ》が露《あらわ》になるほど身体は痩《や》せこけ、かわいく優しかった目は人間不信でギラギラしたものに変わってしまいました。飼育員の間でも人を殺したゾウの世話を希望する者は誰もいなくなりました。

はな子に寄り添い続けた父

空席になっていたはな子の飼育係に、当時多摩動物公園で子ゾウを担当していた私の父・山川清蔵が決まったのは昭和三十五年六月。それからはな子と父の三十年間が始まりました。「鼻の届くところに来てみろ、叩いてやるぞ!」と睨《にら》みつけてくるはな子に怯《ひる》むことなく、父はそれまでの経験と勘をもとに何度も考え抜いた結果、着任して四日後には一か月以上繋がれていたはな子の鎖を外してしまうのです。そこには「閉ざされた心をもう一度開いてあげたい」、「信頼されるにはまず、はな子を信頼しなければ」という気持ちがあったのでしょう。父はいつもはな子のそばにいました。出勤してまずゾウ舎に向かう。

朝ご飯をたっぷりあげ、身体についた藁《わら》を払い、外へ出るおめかしをしてあげる。それから兼任している他の動物たちの世話をし、休憩もとらずに、暇を見つけてはバナナやリンゴを手にゾウ舎へ足を運ぶ。話し掛け、触れる……。「人殺し！」とお客さんに罵《ののし》られた時も、その言葉に興奮するはな子にそっと寄り添い、はな子の楯《たて》になりました。そんな父の思いが通じたのか、徐々に父の手を舐《な》めるほど心を開き、元の体重に戻りつつありました。

ある日、若い頃の絶食《ぜっしょく》と栄養失調が祟《たた》って歯が抜け落ち、はな子は餌を食べることができなくなりました。自然界では歯がなくなることは死を意味します。なんとか食べさせなければという、父の試《し》

第49話　ゾウのはな子が心を許した人

行錯誤《こうさくご》の毎日が始まりました。どうしたら餌を食べてくれるだろうか……。

考えた結果、父はバナナやリンゴ、サツマイモなど百キロ近くの餌を細かく刻み、丸めたものをはな子に差し出しました。それまで何も食べようとしなかったはな子は、喜んで口にしました。食事は一日に四回。一回分の餌を刻むだけで何時間もかかります。それを苦と思わず、いつでも必要とする時にそばにいた父に、はな子も心を許したのだと思います。定年を迎えるまで、父の心はひと時も離れずはな子に寄り添ってきました。

※はな子は二〇一六年五月二十六日、六十九歳で生涯を終えました。

第50話

教員の仕事は教壇に立って教えることだ

坂田道信《さかたみちのぶ》／ハガキ道伝道者

昼食を一切摂らなかった教師

徳永康起《やすき》先生は熊本県の歴史始まって以来、初めて三十代の若さで小学校の校長になられた方でしたが、初めて「教員の仕事は教壇に立って教えることだ」と五年で校長を降り、自ら志願して一教員に戻った人でした。だからどの学校に行っても校長に煙《けむ》たがられたと思われますね、自分より実力が上なものだから。

それで二年ごとに学校を出されてしまうんだけど、行く先々で教師たちが一番敬遠している難しいクラスを受け持って、みんなを勉強好きに変えてしまうんです。

第50話　教員の仕事は教壇に立って教えることだ

授業の前に児童たちが職員室へ迎えに来て、騎馬戦《きばせん》みたいに先生を担いで、「ワッショイ、ワッショイ」と教室に連れていったというんです。先生、早く教えてくれって。

先生は昼飯を食べない人でした。なぜ食べないかというと、終戦直後、昼の時間になると弁当を持ってこられない子どもたちがさーっと教室からいなくなる。それでひょっと校庭を見たら、その子たちが遊んでいたんです。

その時から自分もピタッと昼飯を食べるのをやめて、その子たちと楽しい遊びをして過ごすようになりました。以来、昼飯はずっと食べない人生を送るんですよ、晩年になっても。

教え子からの遺書

これは戦前の話ですが、「明日は工作で切り出しナイフを使うから持っておいで」と言って児童たちを帰したら、次の日の朝、「先生、昨日買ったばかりのナイフがなくなりました」という子が現れました。

先生はどの子が盗《と》ったか分かるんですね。

それで全員外に出して遊ばせているうちに、盗ったと思われる子どもの机を見たら、やっぱり持ち主の名前を削り取って布に包んで入っていた。

先生はすぐに学校の裏の文房具店に走って、同じナイフを買い、盗られた子の机の中に入れておきました。

子どもたちが教室に帰ってきた時、「おい、もう一度ナイフをよく探してごらん」と言うと、「先生、ありました」と。そして「むやみに人を疑うものじゃないぞ」と言うんです。その子は黙って涙を流して先生を見ていたといいます。


それから時代が流れ、戦時中です。特攻隊が出陣する時、みんなお父さん、お母さんに書くのに、たった一通徳永先生宛の遺書があった。もちろんナイフを盗った子です。

「先生、ありがとうございました。あのナイフ事件以来、徳永先生

第50話　教員の仕事は教壇に立って教えることだ

のような人生を送りたいと思うようになりました。明日はお国のために飛び立っていきます……」

という書き出しで始まる遺書を残すんです。

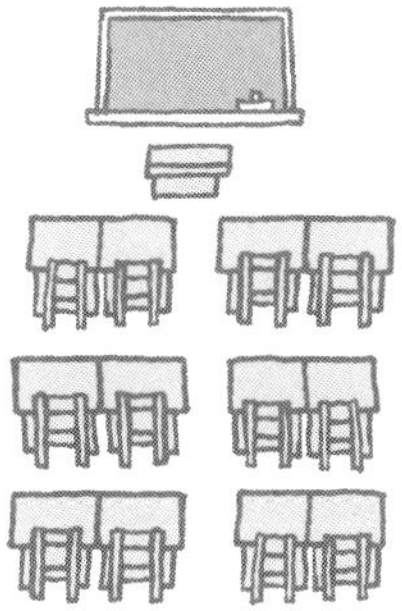

第51話

人生逃げ場なし

石川《いしかわ》　洋《よう》／托鉢者

耳を疑った母の一言

「人生逃げ場なし」という言葉は、自分を正すために心に刻んできた言葉の一つなんですが、私はそんなに強い人間ではございませんので、逃げたくなる時もある。どこかに逃げ場がないかと追い求めてきた一人の人間でもあります。

私は十七歳の時に一燈園《いっとうえん》の西田天香《てんこう》さんとのご縁をいただいて、最後の弟子としてお仕えをさせていただき、生涯を下坐行《げざぎょう》に捧げることにいたしました。ところが七、八年たって原因の分からない病気にかかりまして、ものを食べてもほとんど喉《のど》を通らなくなったん

第51話　人生逃げ場なし

です。最後には流動食《りゅうどうしょく》も入らなくなり、先輩のお許しをいただいて実家の母の元に帰ったのです。

天香さんは、講演で実家の近くまで来られた時に、お見舞いに立ち寄ってくださいました。寝ている私のそばにお座りになって、母親に「洋《よう》さんの容態《ようだい》はいかがですか」と聞いてくださいました。母はきっと、疲れて帰ってきましたなどと、私に対する慰《なぐさ》めの思いを込めて天香さんに報告してくれるだろうと思って聞いておりました。ところが、母の口から出た言葉は全然違ったんですね。

「私の息子は神経衰弱《すいじゃく》でございます」と答えたんです。耳を疑いました。私は神経衰弱などではないのに、どうして母はそんなことを言うのか。師匠の前で問いただすこともできずに、私は黙って横になっていました。天香さんはそれを聞くと、「早く元気になって戻ってきなさいよ」と言って帰っていかれました。

自分の迷いを断ち切ってくれた

私は天香さんが帰られてから母に、「なぜ私を神経衰弱だと言ったのですか」と聞きました。しかし、いくら聞いても答えてくれません。でも、とうとう重い口を開いて言うことには、「私はあなたを産んで、体は育てることができたけれど、心を育てることはできなかった。そのあなたの心を育ててくださっている師匠は私の師匠。そのお師匠の前で、息子は疲れて帰ってきたと言えますか」と。

私は、布団《ふとん》をかぶって涙がかれるくらい泣きました。悲しい涙でもなけりゃ、辛《つら》い涙でもない。母親の心情を思うと、涙が止まらなかったんです。

天香さんは、この子はこれからどうするかと見にきているわけです。園に戻るのか、母親の情にほだされて実家に落ち着くのか、真剣勝負で私を見ている。その厳しい空気を察して、神経衰弱だと一刀両断のもとに叩き切った母のすごさ。私は病気が治るかどうかも

第51話 人生逃げ場なし

関係なしに一燈園に帰らせていただきました。すごい母だと思いました。

でも、私を叩き出しながら、その後ろで母はきっと泣いていたんですね。その涙が分かるようになったのは、私に子どもができてからですけれども。

だから人生逃げ場なし、逃げたらあかんというのは、私にとってはギリギリの言葉なんです。天香さんとの師と弟子の心の闘いです。実家に落ち着いてダメになるか、親を捨てて下坐に生きるという志を貫けるか。その迷いを断ち切ってくれたのは母でした。

第52話

誕生日は、産んでくれた母に感謝をする日

松崎《まつざき》運《みち》之助《のすけ》／夜間中学校教諭

「母」という漢字

夜間学校に通う生徒たちに「父」と「母」という漢字を教えて差し上げた時のことです。「父」は斜めに線を引っ張って下にバッテンを書くだけだけど、「母」は「く」と「く」のさかさまを組み合わせ、不安定に傾いていて、中に点々まである。

父は簡単だけど母は難しいというのが皆さんの一致した意見でした。

「先生、点々は略しちゃいけないの？　一本の線でいいじゃない」。

「点々はお母さんのおっぱいを表しているから、簡単には変えられ

ません」と答えると、「ええ!?　おっぱい出していいの?」「やっぱり棒線で消したほうがいい」と大騒ぎ。

そうこうしているうち、ある生徒さんが「先生、悪いけど私にはあれがお母さんのおっぱいには見えません」と言い出しました。困ったなと思っていると、その方は、「私にはお母さんの涙に見える」とおっしゃいました。すると他の生徒たちも、「そうだ。あれはお母さんの涙だ。お母さんの涙は大事にしなくちゃな……」と頷《うなず》き、それぞれが苦労の多かったお母さんの話を始めました。

若い頃、母の心など知らずどれだけ反抗したか。逆らったか。溢《あふ》れ出る涙をそのままに皆さんが語り出しました。

年が違おうと国籍《こくせき》が違おうと、父がいて母がいて、今日まで多くの方々に支えられて生きてきたことは変わらない。それは私も同じです。

引き揚げの混乱の中で

私もクラスの仲間として、皆さんに母の話をしました。私は両親が満州《まんしゅう》から引き揚げてくる混乱のなかで生まれました。小さかった兄は、私が母のお腹《なか》にいる時、逃避行《とうひこう》を続ける最中で息絶えたといいます。

失意のどん底に叩《たた》きつけられた母は、泣き明かした後、「いま息づいているこの命だけは何があっても産み出そう」と誓い、私を産んでくれたのです。

私は誕生日が来る度《たび》に、母からこの話を聞かせられました。

「あんたが生まれたのはこういうところで、その時、小さな子どもたちがたくさん死んでいった。その子たちはおやつも口にしたことがない、おもちゃを手にしたこともないんだよ。あんたはその子たちのお余りをもらって、やっと生き延びられたんだ。あんたの命の後ろには、無念の思いで死んでいった人たちのたくさんの命が繋がっている。そのことは決して忘れちゃいけないのよ」。

第52話 誕生日は、産んでくれた母に感謝をする日

　私は生まれてこのかた、母に誕生日プレゼントをもらったことはなかったし、欲しいと思ったこともありません。私にとって誕生日は、産んでくれた母に感謝をする日でした。

あとがき

本書が生まれる元となった月刊誌『致知《ちち》』は、一九七八（昭和五十三）年に創刊されました。「こんな堅い雑誌は誰にも読まれるわけがない」という声に囲まれてのスタートでしたが、四十五年が経ったいま、国内外で十一万人以上もの方々が毎月の発刊を心待ちにしてくださる雑誌へと育ちました。

その『致知』の中から、特に心に響く話を一日一話、一頁ずつの形式でまとめて刊行したのが『1日1話、読めば心が熱くなる365人の仕事の教科書』（二〇二〇年）と『1日1話、読めば心が熱くなる365人の生き方の教科書』（二〇二二年）です。

この二作は累計約四十万部のベストセラーとなりましたが、刊行時より両書を毎朝、前日分と当日分の二話ずつ、合わせて計四話を読み続けておられたのが、高校女子バレーボール界の名将として知られる国分秀男《こくぶんひでお》先生でした。

その国分先生から、昨年末、一通のメールが届きました。

「〝365人の教科書シリーズ〟は本当に素晴らしく、私の人生のバイブルとなっています。ただ、私には中学生の孫がおり、孫にもぜひこの本を読んでもらいたいと願っていますが、中学生には理解しにくい話も多いため、このシリーズをぜひ中高生向けに編集してもらえないものでしょうか。子供や孫によい本を読ませたくても、何を読ませてよいか分からない。そんな悩みをお持ちの親御さん、お祖父さん、お祖母さんは少なくないはずです」

そんなご要望を受け、では中高生向けに編集するとすれば、どの話を入れたらよいか、国分先生はもちろんのこと、本シリーズを十歳の娘さんに一話ずつ読み聞かせておられた読者の方などにもご意見を伺いながら、入念に選定に当たりました。結果、シリーズ全七百三十話以外にも、この話はぜひ中高生に伝えたいと思う十篇を新たに収録し、毎週一話ずつ読み進めていただけるよう五十二篇とし、書名を『毎週1話、読めば心がシャキッとする13歳からの生き方の教科書』としました。

いまから十五年ほど前、中学一年生の古賀大就君という男の子から、こんなお手紙をいただいたことがあります。

「僕の小学校時代は、ラグビーと勉強の毎日でした。そして、一月、中学受験をし、第一志望の中学校に入学しました。そして、入学祝いにと、母からもらったのが『致知』でした。

母は『致知』の社長である藤尾秀昭さんの講演を聴き、社会のことや人の心のことに興味を持ってきた僕に、ちょうどいいと思い、年間購読をしたと話してくれました。

初めは志や人生や人間学など難しい言葉ばかりであまりよく分からなかったのですが、電車で一時間以上かかる通学時間、よく考えながら読むと僕のような中学生でも少しずつ理解できるようになってきました。そして、今では電車に乗ったら開かずにはいられないものとなってきました。

僕は中学でもラグビー部に入っているため、帰りの電車では、くたくたになっていますが、『致知』を開くと気持ちがシャキッとします。まだ数ヶ月しか読んでいませんが、『致知』に出会えて本当によかったと思います。これからもすばらしい先輩の方々の生き方をお手本とし、読み続けたいと思います」

人の心は触れるものによって変わります。特に多感な若い年代に、どんな人に出会い、どんな本を読み、どのような感動を受けたか。その体験こそが、その後の人生を左右すると言っても過言ではありません。本書を通じて、生身の人間の生きた体験談――「人間学」の教えに触れ、勇ましく社会へ雄飛していってくれる若い世代の多からんことを願ってやみません。

最後になりましたが、本書の出版に共感してくださり、快く掲載を承諾してくださったご登場者の皆様に心よりお礼申し上げます。

令和六年三月吉日

致知出版社代表取締役社長　藤尾秀昭

初出一覧

いずれも致知出版社刊

第一章　志を持って生きる

第二章　命いっぱいに生きる

第三章　人生に誓うものを持つ

第四章　心を育む

〈監修者略歴〉

藤尾秀昭（ふじお・ひであき）

昭和53年の創刊以来、月刊誌『致知』の編集に携わる。54年に編集長に就任。平成4年に致知出版社代表取締役社長に就任。現在、代表取締役社長兼主幹。『致知』は「人間学」をテーマに一貫した編集方針を貫いてきた雑誌で、令和5年、創刊45年を迎えた。有名無名を問わず、「一隅を照らす人々」に照準をあてた編集は、オンリーワンの雑誌として注目を集めている。主な著書に『小さな人生論1～5』『小さな修養論1～5』『心に響く小さな5つの物語Ⅰ～Ⅲ』『小さな経営論』『プロの条件』『はじめて読む人のための人間学』『二度とない人生をどう生きるか』『人生の法則』（いずれも致知出版社）などがある。

毎週1話、読めば心がシャキッとする
13歳からの生き方の教科書

令和六年三月二十五日第一刷発行
令和六年四月二十五日第二刷発行

監修者　藤尾　秀昭
発行者　藤尾　秀昭
発行所　致知出版社
〒150-0001東京都渋谷区神宮前四の二十四の九
TEL（〇三）三七九六—二一一一
印刷・製本　中央精版印刷
落丁・乱丁はお取替え致します。　（検印廃止）

ISBN978-4-8009-1303-6 C0095
ホームページ　https://www.chichi.co.jp
Eメール　books@chichi.co.jp

装幀・本文デザイン――フロッグキングスタジオ
挿画――宮野耕治

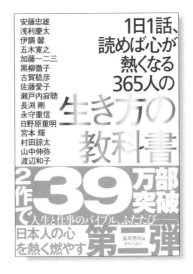